Johannes von Tepl
Der Ackermann

Titelholzschnitt
des 1477 bei Heinrich Knoblochtzer
in Straßburg erschienenen ›Ackermann‹-Drucks,
nach dem Titelholzschnitt
des Drucks von Martin Flach, 1473

(Nürnberg, Germanisches Nationalmuseum)

Johannes von Tepl

Der Ackermann

Frühneuhochdeutsch / Neuhochdeutsch

Herausgegeben, übersetzt und kommentiert
von Christian Kiening

Philipp Reclam jun.
Stuttgart

Umschlagabbildung:
Titelholzschnitt des 1473 bei Martin Flach
in Basel erschienenen ›Ackermann‹-Drucks
(Karlsruhe, Badische Landesbibliothek)

RECLAMS UNIVERSAL-BIBLIOTHEK Nr. 18075
Alle Rechte vorbehalten
© 2000 Philipp Reclam jun. GmbH & Co., Stuttgart
Durchgesehene und verbesserte Ausgabe 2002
Gesamtherstellung: Reclam, Ditzingen. Printed in Germany 2004
RECLAM, UNIVERSAL-BIBLIOTHEK und
RECLAMS UNIVERSAL-BIBLIOTHEK sind eingetragene Marken
der Philipp Reclam jun. GmbH & Co., Stuttgart
ISBN 3-15-018075-9

www.reclam.de

Der Ackermann

[2ra] Jn dem buchlein ist beschrieben ein krieg, wie einer, dem sein liebes gestorben ist, schilet den Tot, so verantwortt sich der Tot. Also seczt der clager je ein cappittel vnd der Tot das ander bis an das ende. Der cappittel seint vier vnd dreyssig, dorjnn man hubsches synnes getichtes behendigkeit wol findet, vnd begynnet also der ackerman mit seyner clage anzuvahen.

Das erste Cappyttel.

Grymmyger tilger aller *land*t, schedlicher ächter aller welte, frayssamer *mörder* aller lewte, jr Todt, euch sey verfluchet! Gott, ewer tremer, hass euch, vnselden merung wone euch bey, vngluck hause gewaltigclich zu euch, zumal geschannt seyt ymmer! Angst,   not vnd jamer verlassen euch nit, wo jr wanndert; layt, betrubnüß vnd kummer, die laytten euch allenthalben; laydige anfechtung, schentliche zuuersicht vnd schemliche ferung, die bezwinge euch groblichen an aller stat! Hymmel, erd, sonne, monde, gestyrne, mere, wag, berg, gefilde, tale, awen, der helle aptgrunt, auch alles, das [2rb] leben vnd wesen hat, sey euch vnholt, vngunstig vnd fluchent euch ewigclichen! Jn boßheyt versinckent, jn jemerigem ellende verswindent vnd jn der vnwiderbringenden swersten acht gottes, aller lewte vnd iglicher schopffung alle zukunfftige zeytt beleybt! Vnuerschampter boßwicht, ewer bose gedencknüß lebe vnde *t*awr hin *on* ende! Geraw vnd vorcht schaiden von euch nit, *jr wont*, wo jr wonent! Von mir vnde allermenigclichen sey vber euch ernstlichen zetter geschrien mit *ge*wunden henden!

In diesem Büchlein ist aufgezeichnet ein Streit, dergestalt, daß einer, dessen Liebste gestorben ist, den Tod zur Rede stellt, woraufhin sich der Tod verantwortet. So bestreitet der Kläger jeweils ein Kapitel und der Tod das andere, bis zum Ende: insgesamt 34 Kapitel, in denen man eines feinsinnigen Gedichts Gewandtheit wohl findet. Der Ackermann beginnt seine Anklage so:

DER ACKERMANN. Das 1. Kapitel

Grimmiger Zerstörer aller Länder, schädlicher Verfolger aller Welt, grausamer Mörder aller Leute, Ihr Tod, Euch sei geflucht! Gott, Euer Schöpfer, hasse Euch, Unheils Auswuchs sei mit Euch, Unglück hause verheerend bei Euch, gänzlich entehrt seid immer! Angst, Not und Jammer verlassen Euch nicht, wo Ihr umgeht; Leid, Trübsal und Kummer, die geleiten Euch allenthalben; leidige Anklage, schandvolle Erwartung und peinigende Strafe, die bedrängen Euch heftig an jedem Ort! Himmel, Erde, Sonne, Mond, Gestirne, Meer, Gewoge, Berg, Gefilde, Täler, Auen, der Hölle Abgrund, auch alles, was Leben und Wesen hat, sei Euch feind, mißgünstig und verfluche Euch in alle Ewigkeit! In Schlechtigkeit geht unter, in jämmerlicher Unbehaustheit schwindet hin, und in der unwiderruflichen strengsten Ächtung durch Gott, alle Menschen und sämtliche Geschöpfe haltet aus für alle Zukunft! Schamloser Bösewicht, Euer böses Angedenken lebe und dauere ohne Ende! Angst und Schrecken trennen sich von Euch nicht, Ihr seid, wo Ihr seid! Von mir und der Allgemeinheit sei über Euch wahrhaft Zeter geschrien mit gewundenen Händen!

Des Todes widerrede. Cappittulum secundum.

Hort, hort, hort, new wunder! Grawsam vnd vngehorte
tayding vechten vns an. Von wem die komen, das ist
vns zumale fremde. Doch trewens, fluchens, zetterge-
schreyes, hendewendens vnd aller ankreutung sey wir
allen enden vncz her wol genesen. Dannoch, sun, wer   5
du bist, meld dich vnd lautmer, was dir laydes von vns
widerfaren sey, darvmb du [2ᵛᵃ] vns so vnczimlichen
handelst, des wir vormals vngewont seint, allein wir
doch manigen künstenreichen, edeln, schonen, mechti-
gen, hefftigen lewten sere vber den rein hant gegraset,   10
dauon witwen vnd weisen, landen vnd lewten leydes ge-
nuglich ist gescheen. Du tust dem gleich, als   dir ernst
sey vnde dich not swerlich bezwinget. Dein clage ist an
döne vnd an reyme, dauon wir prufen, du wollest durch
dones vnd rymens willen deynem synn nicht entwei-   15
chen. Bistu   aber tobend, wütend, twalmig oder an-
derswo an synne, so verzewhe vnde enthalt vnd biß
nicht zu snell, so swerlichen zu fluchen. Dann wart, das
du nit bekomert werdest mit affterrew. Wene nicht, das
du vnnser herlich vnde gewaltig macht ymmer mugest   20
geswechen. Dannoch nenne dich vnd versweig nicht,
wellicherley sachen dir sey von vns so zwenglicher gewalt begeynt. Rechtuertig wol wir werden, rechtuertig
ist vnser [2ᵛᵇ] gefertt. Wir wissen nicht, wes du vns so
freuelichen zeihest.   25

Des Ackermans widerrede. Cappitulum tercium.

Jch bins genant ein ackerman, von vogelwat ist meyn
pflug, jch wone jn Beheymer lande. Gehessig, widerwer-
tig vnde widerstrebend soll ich euch ymmer wesen,
wann jr hapt mir den zwolfften buchstaben, meyner
frewden hort, auß dem alphabet gar freysamlich gezu-   5

DER TOD. Das 2. Kapitel

Hört, hört, hört, neue Wunder! Grauenhafte und unerhörte
Anklagen richten sich gegen uns. Von wem die kommen,
das ist uns ganz unbekannt. Doch Drohen, Fluchen, Zeterschreien, Händewinden und alle Angriffe haben wir bislang
allseits gut überstanden. Gleichwohl, mein Sohn, wer Du
auch bist, gib Dich zu erkennen und tu kund, was für ein
Leid Dir von uns widerfahren sei, um dessentwillen Du uns
so ungebührlich behandelst, wie wir es von früher her kaum
gewohnt sind, obwohl wir doch manchen beschlagenen,
hochstehenden, ansehnlichen, mächtigen, wichtigen Leuten
den Garaus gemacht haben, wodurch Witwen und Waisen,
Ländern und Leuten Leid zur Genüge zugefügt wurde. Du
tust ganz so, als ob es Dir ernst sei und Dich Not heftig be-
dränge. Deine Anklage ist ungeformt und ungereimt, wor-
aus wir schließen, Du wollest um Form und Reimes willen
Dein Ansinnen nicht entkräften. Bist Du aber tobsüchtig,
rasend, betäubt oder sonstwie von Sinnen, so warte und
halt ein und sei nicht zu schnell dabei, so heftig zu fluchen.
Gib acht, daß Du nicht Sorgen Dir einhandelst durch späte
Reue. Glaube nicht, daß Du unsere herrliche und gewaltige
Macht jemals schwächen könntest. Gleichwohl, nenne Dich
und verschweige nicht, inwiefern Dir von uns so drückende
Gewalt entgegengebracht worden sei. Gerechtfertigt wollen
wir werden, gerechtfertigt ist unser Tun. Wir wissen nicht,
wessen Du uns so verwegen bezichtigst.

DER ACKERMANN. Das 3. Kapitel

Ich werde ein Ackermann genannt, vom Vogelkleid ist mein
Pflug, ich wohne im Böhmerland. Haßerfüllt, widerborstig
und widerstrebend werde ich Euch gegenüber immer sein,
denn Ihr habt mir den zwölften Buchstaben, meiner Freuden Hort, aus dem Alphabet grausamst herausgerissen, Ihr

cket, jr ha*pt* meyner wunnen licht somerblumen mir auß
meines herczen anger jemerlichen außgerewtet, jr hapt
mir meyner selden hafft, mein außerwelte turckeltawbe
arglistigclich empfremdet, jr hapt vnwiderbringelich
rawb an mir getan. Wegt es selber, ob ich icht billichen   10
zurne, wüte vnde clag. Von euch bin jch frewdenreiches
wesens berawbet, teglicher guter lebtag enterbet vnd aller wunnbringenden rent geeussent. Frut vnde fro was
ich vormals zu aller stunt; kurcz vnd lustsam was mir
alle weil tag vnd nacht, jn gleicher [3ra] maß frewden-   15
reich, gewdenreich sie beyde; ein jglich jare was mir ein
genadenreichs jare. Nun wirt zu mir gesprochen: schabe
abe! Bey trubem getranck, auff durrem ast, betrubett,
swarcz vnd zurstort bleyb vnd hewl an vnterlaß! Also
treibt mich der wint, jch swymm dohin durch des wil-   20
den meres flu*t*, die dunen habent vberhant genomen,
meyn ancker hafftet nynndert. Hirvmbe ich an ende
schreyen will: jr Todt, euch sey verflucht!

Des Todes widerrede. Cappittulum quartum.

Wunder nympt vns sollicher vngehorter anfechtung, die
vns nie mer hat begeint. Bistu ein ackerman, wonend jn
Beheim lande, so tunckett vns, du tuest vns heffticly-
chen vnrecht, wann wir jn langer zeytt zu Behem nit
endliches han geschafft, svnder nun newlich in eyner ve-   5
sten, hubschen stat, auff einem berge werlich gelegen;
der han vier buchstaben – der achczehend, *der erst*, der
drytt vnd der dreyvndzwenczigest – jn dem alphabet
einen namen geflochten. Do han wir mit einer seligen
tochter vnser genad gewürcket; jr buchstabe [3rb] war   10
der zwolffte. *Si* was gancz frum vnd wandelfrey, wann
wir waren gegenwertig, do sie geporen wart. Do sant jr
fraw Ere ein gerenmantel vnd eyn erenkrancz; die
bracht jr fraw *Sä*lde vnzuryssen vnd vngemeyligt. Den

habt meines Glückes helle Sommerblume mir aus meines Herzens Anger schmerzlich ausgejätet, Ihr habt mir meines Heils Anker, meine auserwählte Turteltaube arglistig entwendet, Ihr habt nicht wiedergutzumachenden Raub an mir begangen. Beurteilt es selbst, ob ich nicht mit Recht zürne, wüte und klage. Von Euch bin ich eines freudenreichen Daseins beraubt, eines Tag für Tag erfüllten Lebens enteignet und allen beglückenden Ertrags verlustig gemacht worden. Froh und munter war ich früher zu jeder Stunde; kurz und angenehm waren mir allezeit Tag und Nacht, beide freuden- und genußreich in gleichem Maß; ein jedes Jahr war mir ein gnadenreiches Jahr. Nun heißt es: Kratz ab! Bei trübem Trank, auf dürrem Ast, betrübt, finster und zerstört sieche dahin und heule ohne Unterlaß! So jagt mich der Wind, ich treibe durch des wilden Meeres Fluten, die Sturzseen haben überhand genommen, mein Anker hält nirgends. Darum will ich ohne Ende schreien: Ihr Tod, Euch sei geflucht!

DER TOD. Das 4. Kapitel

Wunder nimmt uns ein so unerhörter Angriff, wie er uns noch nie begegnet ist. Bist Du ein Ackermann, zu Hause im Böhmerland, so dünkt uns, Du tust uns gewaltig unrecht, denn lange Zeit haben wir in Böhmen nichts Besonderes vollbracht, außer jetzt kürzlich in einer befestigten, schönen Stadt, auf einem Berg wehrhaft gelegen; der haben vier Buchstaben – der achtzehnte, der erste, der dritte und der dreiundzwanzigste – im Alphabet einen Namen geflochten. Da haben wir einer seligen Tochter unsere Gnade erwiesen; ihr Buchstabe war der zwölfte. Sie war ganz rechtschaffen und makellos, waren wir doch anwesend, als sie geboren wurde. Da schickte ihr Frau Ehre einen Prachtmantel und einen Ehrenkranz; die übergab ihr Frau Sälde unzerrissen

mantel vnde den erencrancz bracht sie gancz mit jr vncz 15
jn die gruben. Vnnser vnde jr geczewg ist der erkenner
aller herczen. Guter gewissen, freuntholt, trewe, gewar
vnd zumal gutig was sie gen allen lewten. Werlich so
stete vnde so gehewer kam vns zu handen selten. Es sey
dann die selbe, die du meynst, anders wiss wir keine.   20

Des Ackermannes widerrede. Cappittulum quinntum.

Ia, herre, ich was jr frydel, sie meyn amey. Jr hapt sie
hin, meyn durchlustig augenweyde; sie ist dahin, mein
frydschilt für vngemach;   enweg ist mein warsagende
winschelrewte. Hin ist hin! Do ste ich armer ackerman
allein. Verswunden ist meyn liechter sterne an dem   5
hymmel, zu reste ist gegangen meyn heyles son, auff get
sie nymmermer. Nicht mer geet auff [3va] mein fluten-
der morgensterne, gelegen ist sein schein, keyn leytver-
treib han ich mer, die vinster nacht ist allenthalben vor
meynen augen. Jch wen nicht, das sey etwas, das mir   10
rechte frewde ymmermer   müge widerbringen, wann
meyner frewden achtber baner ist mir leyder vntergan-
gen. Zytter, waffen von herczen grunde sey geschryen
vber das jar, vber den verworffen tag vnd vber die leidi-
gen stund,   darjnn meyn steter, herter   dyamant ist   15
zurbrochen, darjnn meyn rechter, fürender leytstab
vnbarmherczigclich mir auß den henden wart geruckt,
darjnn ist zu meynes heyles vernewenden jungprunnen
mir der weg verhauwen. Ach an ende, wee on vnterlass
vnd jnneriges versinckens gefelle sey euch, Tod, zu erbe   20
eigen gegeben! Lastermeylig, schandgirig, wirdenloß
vnd grysgramig sterbet vnde jn der helle erstincket! Got
berawbe euch ewrer macht vnde laß euch zu puluer zurstieben! An zile [3vb] hapt ein tewfelichs wesen!

und unbefleckt. Den Mantel und den Ehrenkranz brachte sie unversehrt mit sich bis in die Grube. Unser und ihr Zeuge ist der Erkenner aller Herzen. Bester Gesinnung, freundlich, treu, aufrichtig und überaus gütig war sie gegenüber allen Leuten. Wahrlich, eine so Zuverlässige und so Liebenswerte kam uns niemals in die Hände. Es sei denn diese, die Du meinst, sonst kennen wir niemand.

DER ACKERMANN. Das 5. Kapitel

Ja, Herr, ich war ihr Liebster, sie meine Aimée. Ihr habt sie hingerafft, meine süße Augenweide; sie ist fort, mein Schutzschild gegen Ungemach; weg ist meine nie irrende Wünschelrute. Hin ist hin! Da stehe ich armer Ackermann allein. Verschwunden ist mein heller Stern am Himmel, zur Ruhe gegangen ist meines Heils Sonne, auf geht sie niemals mehr. Nicht mehr auf geht mein strahlender Morgenstern, versunken ist sein Glanz; keinen Leidvertreib habe ich mehr, die finstere Nacht ist allenthalben vor meinen Augen. Ich glaube nicht, es gäbe etwas, das mir jemals wieder wahre Freude bringen könnte, denn meiner Freuden stolzes Bannerzeichen ist, ach, mir hingesunken. Zeter und Mordio sei geschrien aus Herzensgrund über das Jahr, über den verwünschten Tag und über die leidige Stunde, da mein fester, harter Diamant zerbrochen ist, da mein wahrer, richtungweisender Leitstab erbarmungslos mir aus den Händen gerissen wurde, da der Weg zu dem mein Heil erneuernden Jungbrunnen mir versperrt wurde. Ach ohne Ende, Weh ohne Unterlaß und Fall in unaufhörlichen Untergang sei Euch, Tod, zu Euerm eigensten Erbe gemacht! Schmachbefleckt, schandsüchtig, ehrlos und mißmutig sterbt, und in der Hölle verfault! Gott beraube Euch Eurer Macht und lasse Euch zu Staub zerfallen! Ohne Ende habt ein teuflisches Dasein!

Des Todes widerrede. Cappittulum sextum.

Ein fuchss slug ein slaffenden lewen an seinen backen,
darvmb wart jm sein balk zurrissen. Ein hase zwacket
einen wolff, noch hewtt jst er zagelloß darvmb. Ein katz
krellet einen hunt, der do slaffen wollt, imer muß sie des
hundes veintschafft tragen. Also willtu dich an vns rey-   5
ben. Doch glawbe wir, knecht knecht, herre beleyben
herre. Wir wollen beweisen, das wir recht *wegen*, recht
richten vnde recht faren jn der welte, niemants adel
schonen, grosser kuns*t* nicht achten, keinerley schone
ansehen, gab, liep, leydes, alters, jugent vnde allerley   10
sach nicht   wegent. Wir tun als die sunn, die scheint
vber gut vnd vber bose. Wir nemen gut vnde bose jn
vnser gewalt. Alle die meyster, die die geyst kunnen be-
zwingen, müssent *vns* jre geyst antworten vnd auffge-
ben.   Die bilbis vnd die zawberjnn konnen vor vns   15
nicht bleyben; sie hilffet nit, [4ra] das sie reitten auff den
krucken,   das sie reyten auf den bocken. Die erczt, die
den lewten das leben lengen, müssen vns zu teyl werden; würcz, krawt, salben vnd allerley appoteckenpul-
uere konnen sie nicht gehelffen. Solten wir allein den   20
zweyfaltern vnd den haüschrecken rechnung tun vmbe
jr geslecht, an der rechnunge wurden sie nit benugen.
O solten wir durch auffsaczs,   durch liebs oder durch
leyds willen die lewte lassen leben, aller der welte key-
sertum weren *nun* vnnser, alle konig hetten jre kronenn   25
auff vnnser haupt geseczt, jre zepter jn vnnser hant ge-
antwort, des babstes stule mit seiner dreykronter jnfel
wer wir nun gewaltig. Laß sten dein fluchen, sage nit
von Papenfels newe mere; hawe nit vber dich, so reren
dir die spen nicht jn die augen!   30

DER TOD. Das 6. Kapitel

Ein Fuchs gab einem schlafenden Löwen einen Backenstreich, darum wurde ihm sein Balg zerrissen. Ein Hase zwackte einen Wolf, noch heute ist er darum ohne Schwanz. Eine Katze krallte einen Hund, der gerade schlafen wollte, immer muß sie des Hundes Feindschaft ertragen. So willst auch Du Dich an uns reiben. Doch glauben wir: Knechte bleiben Knechte, Herren Herren. Wir wollen beweisen, daß wir recht urteilen, recht richten und recht handeln in der Welt, niemandes Adel schonen, großes Können nicht würdigen, keinerlei Schönheit beachten, Gabe, Liebe, Leid, Alter, Jugend und allerlei anderes nicht schätzen. Wir tun es wie die Sonne, die scheint über Gut und über Böse. Wir unterwerfen Gut und Böse unserer Gewalt. Alle die Meister, die die Geister zu beherrschen wissen, müssen uns ihren Geist überantworten und überlassen. Die Kobolde und die Zauberinnen können sich vor uns nicht retten; es hilft ihnen nichts, daß sie reiten auf Stöcken, daß sie reiten auf Böcken. Die Ärzte, die den Menschen ihr Leben verlängern, müssen uns anheimfallen; Wurzeln, Kräuter, Salben und allerlei Apothekenpülverchen können ihnen nicht helfen. Sollten wir nur den Schmetterlingen und den Heuschrecken Rechenschaft ablegen über ihr Geschlecht, mit dieser Rechenschaft würden wir sie doch nicht zufriedenstellen. Ja, sollten wir gegen Bestechung, um Glückes oder um Unglückes willen die Leute leben lassen, die Kaisertümer der ganzen Welt wären nun unser, alle Könige hätten ihre Kronen auf unser Haupt gesetzt, ihre Zepter unserer Hand anvertraut, der päpstliche Stuhl samt Mitra wäre nun in unserer Gewalt. Laß es sein, Dein Gefluche, erzähle nicht vom Papstfelsen neue Märchen! Hau nicht nach oben, dann fallen Dir die Späne nicht in die Augen!

Des Ackermans widerrede. Cappittulum septimum.

Konde ich gefluchen, konde ich geschelten, kond ich
euch verpfeyen, das euch wirsch *dann vbl geschähe*, das
hett jr snodlichen wol an mir ver[4rb]dyenet. Wann nach
grossen layde grosse clage sol volgen, vnmenschlich tett
ich, *wo ich* sollich loblich gottes*gabe*, die niemant dann   5
gott allein geben mag, nicht beweynte. Zwar trauren soll
ich ymmer, empflogen ist mir meyn erentreicher valcke,
mein tugenthafftige fraw. Billichen clage ich, wann sie
was edel *der* geburt, reich der eren frucht vnd vber alle
jr gespylen gewachsen person, warhafftig vnd zuchtig   10
der wort, kewsch des leybes, guter vnd frolicher mitwo-
nung. Jch sweig als mer, jch bin zu swach alle jr ere vnde
tugent, die gott selber jr hett mitgeteylt, zu uolsagen.
Herre Tot, jr weste es selber. Vmb sollich gross herczeleyt sol ich euch mit recht zusuchen. Werlich were icht   15
gutes an euch, es solte euch selber erparmen. Jch wil keren von euch, nicht gutes sagen, mit allem meynem ver-
mugen will ich euch ewig widerstreben. Alle gottes zi-
rung soll mir beystendig wesen wider euch zu würcken.
Euch neydt *vnd hasse* alles, das do ist jn hymmel, auff   20
[4va] erden vnd jn der helle!

Des Todes widerrede. Cappittulum octauum.

Des hymmels tron denn guten geysten, der helle grunt
den bosen, jrdische lant hat gott vns zu erbteyl geben.
Dem hymel fride vnde lon nach tugenden, der helle pein
vnd straffung nach sünden, der erden klas vnde meres
stram mit aller jrer behaltung hat vns der mechtig aller   5
welt herczog befolhen enworten, das wir alle vberflüssigkeyt außrewten vnde außjetten sullent. Nym für dich,
tummer man, prüfe vnde grab mit *sin*nes grabstickel jn

DER ACKERMANN. Das 7. Kapitel

Könnte ich fluchen, könnte ich schelten, könnte ich Euch
schmähen, auf daß es Euch mehr als schlecht erginge, das
hättet Ihr in aller Erbärmlichkeit wohl von mir verdient.
Wenn auf großes Leid große Klage zu folgen pflegt, so wäre
ich ein Unmensch, würde ich einer so trefflichen Gottes-
gabe, die niemand denn Gott allein verleihen kann, nicht
nachweinen. Wahrlich, trauern werde ich immer; entflogen
ist mir mein ehrenreicher Falke, meine vortreffliche Frau.
Mit Recht klage ich, denn sie war von hoher Geburt, ein
reicher Sproß der Ehre und eine ihre Gefährtinnen über-
ragende Person, aufrichtig und zurückhaltend im Wort, reinen Leibes, gut und fröhlich im Umgang. Ich schweige lieber, ich bin zu armselig, die ganze Ehre und Vortrefflichkeit,
die Gott selbst ihr eingepflanzt hat, vollständig auszumalen.
Herr Tod, Ihr solltet es selber wissen. Wegen eines so großen Kummers muß ich Euch rechtmäßig fordern. Wahrlich,
wäre nur ein wenig Gutes in Euch, es würde Euch selber
dauern. Ich will mich abwenden von Euch, nichts Gutes sagen, mit all meiner Kraft will ich Euch ewig zuwider sein.
Alles, was die göttliche Schöpfung ziert, möge mir beiste-
hen, Euch entgegenzuwirken! Euch hasse alles, was da ist
im Himmel, auf Erden und in der Hölle!

DER TOD. Das 8. Kapitel

Des Himmels Thron den guten Geistern, der Hölle Grund
den bösen, irdische Länder hat Gott uns zum Erbteil gegeben. Dem Himmel Friede und Lohn gemäß guten Taten,
der Hölle Pein und Strafe gemäß Sünden, der Erde Kloß
und des Meeres Strom mit allem, was sie enthalten, hat uns
der mächtige Herrscher aller Welt anbefohlen, auf daß wir
alles Überflüssige ausroden und ausjäten. Streng Deinen
Kopf an, dummer Mensch, denk nach und grab mit des

die vernunfft, so vindestu: hett wir *von* des ersten von
leim lecket mans zeyt leutt auff erden, tiere vnde   10
würm jn wustung vnd jn wilden heyden, schuppentra-
gender vnd sch*l*upfryger visch jn dem wage zuwach*s*ung
vnd merung nit außgerewtet, vor cleynen mucken
mocht nu niemant *beleiben*, vor wolfen torsst niema*n*t
auß. Es wurde gefressen ein mensch das ander, ein tier   15
das ander, ein jeglich leben[4vb]dig behawsung die ande*r*,
wann narung wurde jn gebrechen, die erde wurde jn zu
enge. Er ist tumm, wer do beweinet die totlichen. Laß
ab! Die lebendigen *mit den lebendigen*, die toten mit
den toten, als *vncz* her ist gewesen. Bedenck *paß*, du   20
dummer, was du clagen sullest!

Des Ackermanns widerrede. Cappittulum nonum.

Unwiderbringelich*en* meyn hochste*n* hort han ich verloren. Soll ich nit wesen trawrig vnd jamerig muß ich biß
an mein ende harren, entweret aller frewden. Der milte
gott, der mechtige herre, gerech mich an euch, arg*er* trawermacher! Enteygentt hapt jr mich aller wünnen, be-   5
rawbt lieber lebtag, ensprent micheler eren. Michel er
hett ich, *wann* die gut, die rein d*o*rtt, herre, entgelt mit
jren kinden, jn reine*m n*este geuallen. Tot ist die henne,
die do außzog sollich hüner. *O* gott, gewaltiger herre!
Wie lieb sach ich mir, wann sie so zuchtigcliches gangs   10
pflag vnde alle ere *bedencken kund* vnde sie menschlichs
ge*s*lechte do lieblich sehende sprechend: Dancke, lob
vnd ere habe die zart, jr vnde jren [5ra] nestling g*un*ne
gott alles gutes! Kunde ich darvmb gott wol gedancken,
werlich ich tett es billichen. Wellichen armen man hett e*r*   15
balde so reichlich begabet? Man re*de*, was man wölle:
wen gott mit eynem reinen, zuchtigen vnd schonen

Geistes Grabstichel in die Vernunft, so findest Du: Hätten wir seit des ersten, lehmgebatzten Mannes Zeit die Vermehrung und Ausbreitung der Menschen auf der Erde, der Tiere und des Kriechzeugs in der Wüste und im Unterholz, der schuppentragenden und schlüpfrigen Fische im Wasser nicht ausgemerzt, vor kleinen Mücken könnte sich jetzt niemand retten, vor Wölfen wagte sich niemand hinaus. Auffressen würde ein Menschenkind das andere, ein Tier das andere, ein jeder belebte Körper den anderen, denn an Nahrung würde es ihnen gebrechen, die Erde würde ihnen zu eng. Dumm ist, wer da die Sterblichen beweint. Laß sein! Die Lebenden mit den Lebenden, die Toten mit den Toten, wie es bisher gewesen ist. Bedenke genauer, Dummkopf, worüber du klagen mußt!

DER ACKERMANN. Das 9. Kapitel

Unwiderruflich meinen höchsten Schatz habe ich verloren. Soll ich da nicht traurig sein und verzweifelt? Verzweifelt muß ich bis an mein Ende ausharren, entledigt aller Freuden. Der gütige Gott, der mächtige Herr, räche mich an Euch, böser Trauerbringer! Enteignet habt ihr mich allen Glücks, beraubt erfüllten Lebens, entwöhnt großer Ehre. Große Ehre hätte ich, wenn nicht die Gute, die Reine dort, Herr, ihre Schuld bezahlte mit ihren Kindern, den in reinem Nest geborenen. Tot ist die Henne, die da ausbrütete solche Küken. O Gott, gewaltiger Herr! Was für ein Anblick bot sich mir, wenn sie so voller Anstand einherging und alle Ehrsamkeit zu pflegen verstand und die Menschen, sie liebevoll betrachtend, sagten: Dank, Lob und Ehre habe die Zarte, ihr und ihren Nestlingen gewähre Gott alles Gute! Wüßte ich dafür Gott recht zu danken, wahrlich, ich täte es mit vollem Recht. Welchen armseligen Mann hat er schon so reichlich beschenkt? Man sage, was man wolle: Wen Gott mit einer reinen, anständigen und schönen Frau begabt –

weibe begabet, die gabe heysset gabe *vnd ist ein gabe*
vor aller jrdischer außwendiger gabe. O allergewaltigi-
ster hymmelgraue, wie wol ist dem gescheen, den du mit   20
einem reynen vnuermeyligen gatten hast begattet! Frew
dich, ersamer man, eines reynen weibes, frewe dich, reines weip, ersammes mannes. Gott gebe euch frewde
beyden! Was weiß dauon ein tummer, der auß diesem
jungprunnen nit hat getruncken? Allein mir zwenglich   25
herczelayt ist gescheen, dannoch dancke ich gott jn-
nigclich, das ich die vnuerruckten tochter han erkannt.
Euch, boser Tot, aller lewte veint, sey gott ewigclichen
gehessig!

Des Todes widerrede. Cappittulum decimum.

Du hast nit auß der weißheyt brunnen getruncken, das
bruff ich an deynen [5ʳᵇ] worten. Jn der naturen gewurcken hastu nit gesehen; jn die mischung weltlicher sa-
*ch*en hastu nit geluget; jn jrdische wandlung hastu nit
gegu*c*zet; eyn vnuerstendig welff bistu. Mercke, wie die   5
lustigen rosen vnd die starckriechen*den* lilien jn dem
garten, wie die krefftigen würcze *vnd* die lustgebenden
blumen jn den auwen, wie die vest*s*tenden stein vnd die
hochgewachssen pawm jn wildem gefilde, wie die krafft-
haben*den beren* vnd die starckwaldigen lewen jn ent-   10
trischen wustungen, wie die hochgewachssen starcken
rechken, behenden, abentewerlich, hochgelarten vnde
allerley meysterschafft wolvermügenden lewte vnd wie
alle jrdische creatuer, wie kunsstig, wie lustig, wie starck
sie sein, wie lang sie sich enthalten, wie lang sie es trei-   15
ben, müssen zu nichte werden *vnd vervallen* allenthalben. Vnd wann nu alle menschgeslechte, die gewesen
sein oder noch werden, müssen von wesen zu nichtwesen kommen, wes sollt die gelubde, die du beweynest,
genissen, das jr [5ᵛᵃ] nicht geschee als andern allen vnd   20

diese Gabe heißt Gabe und ist auch eine Gabe mehr als jede irdische, äußerliche Gabe. O allermächtigster Himmelsgraf, welche Wohltat ist dem geschehen, den du mit einem reinen, makellosen Gemahl vermählt hast! Freue dich, ehrbarer Mann, einer reinen Frau, freue dich, reine Frau, eines ehrbaren Mannes. Gott gebe euch Freude beiden. Was weiß davon ein Dummkopf, der aus diesem Jungbrunnen nicht getrunken hat? Obschon mich ein drückender Kummer erfaßt hat, danke ich dennoch Gott von Herzen, daß ich die unberührte Tochter erkannt habe. Euch, übler Tod, Feind aller Menschen, gelte der Haß Gottes in alle Ewigkeit!

DER TOD. Das 10. Kapitel

Du hast nicht aus der Weisheit Brunnen getrunken, das merke ich an Deinen Worten. In das Wirken der Natur hast Du nicht geschaut; in die Mischung weltlicher Dinge hast Du nicht gelugt; in irdisches Wechselspiel hast Du nicht geguckt; ein unverständiges Hündlein bist Du. Schau, wie die entzückenden Rosen und die starkduftenden Lilien in dem Garten, wie die kräftigenden Kräuter und die herzerfrischenden Blumen in den Auen, wie die feststehenden Felsen und die hochgewachsenen Bäume in wildem Gefilde, wie die kraftstrotzenden Bären und die übermächtigen Löwen in unheimlichen Ödländern, wie die riesenhaften starken Recken, die gewandten, außerordentlichen, hochgelehrten und zu allerlei Meisterschaft fähigen Leute und wie alle irdischen Kreaturen, wie geschickt, wie lebenslustig, wie stark sie auch sind, wie lang sie sich behaupten, wie lang sie es treiben, zunichte werden und vergehen müssen allenthalben. Und wenn nun alle Menschengeschlechter, die gewesen sind oder noch werden, vom Sein zum Nicht-Sein kommen müssen, welchen Vorzug sollte die Angetraute, die Du beweinst, besitzen, daß es ihr nicht ergehe wie allen andern

allen andern als jr? Du selber wirdest vns nit entrynnen,
wie wenig du des yeczund getrawest. 'Alle hernach',
müß ewer iglicher sprechen. Dein clage ist entwicht, sie
hilffet dich nit, sie get auß tawben synnen.

Des Ackermans widerrede. Cappittulum vndecimum.

Gott, der mein vnd ewer gewaltig ist, getrawe ich wol, er
werde mich vor euch beschirmen vnde vmb die vorgenanten vbeltat, die jr an mir begangen hapt, strengeclich
an euch gerechen. Gauckelweyß tragt jr mir   vnder,
valsch tragt *ir* mir ein vnde wolt mir mein vngehewer   5
synnenlayt, vernunfftlayt vnd herczelayt auss den augen, auß den synnen *vnd* auß dem *mut* slahen. Jr schaf-
fent nit, wann mich rewet mein verserig verlust, die ich
nymmer widerpringen mag. Für alle*s* we vnde vngemach
mein heylsam erczeney, gottes dyenerin, meyns   wil-   10
len pflegerynn, meyns leybes außwarterin, meyner eren,
jrer eren [5vb] teglichen vnd nechtlich wachterynn was
sie vnuerdrossen. Was jr empfolhen wart, das wart von
jr gancz, rein vnd vnuersert, offt mit merung *wider-*
reichet. Ere, zucht, käusch, mild, trew, maß, sorge vnd   15
bescheydenheit wonten stet an jrem hofe. Die scham
trug   stettigclychen der eren spygel vor jren augen.
Gott was jr günstiger hantheber. Er was auch mir gün-
stig vnd genedig durch jren willen. Heyl, seld vnd
glucke stunden mir bey durch jren willenn. Das hett sie   20
an gott erworben vnde verdienet, die reine haußere. Lon
vnd genedigen sollt *gib* jr der milte loner aller trewen
soldner. Aller*reichster* herre, thu jr genedig, wann ich jr
nicht kan gewunschen. Ach, ach, ach, vnuerschampter
morder, herre Tot, boser lasterbalck, der zuchtiger sey   25
ewerr richter vnd bind euch sprechend 'ver*gib* mir' jn
sein wigen!

und allen andern wie ihr? Du selber wirst uns nicht ent-
kommen, wie wenig Du das jetzt auch erwartest. »Alle hin-
terdrein«, muß jeder von Euch sagen. Deine Klage ist um-
sonst, sie hilft Dir nicht, sie kommt aus stumpfem Sinn.

DER ACKERMANN. Das 11. Kapitel

Gott, der mich und Euch in seiner Gewalt hat, traue ich
wohl zu, mich vor Euch zu beschützen und wegen der be-
sagten Schandtat, die Ihr an mir begangen habt, in aller
Strenge an Euch zu rächen. Gaukelhaftes stellt Ihr mir vor,
Falsches bringt Ihr mir dar und wollt mir mein ungeheures
Sinnenleid, Vernunftleid und Herzensleid aus den Augen,
aus dem Sinn und aus dem Gemüt schlagen. Ihr schafft es
nicht, denn ich trauere um das schmerzlich Verlorene, das
ich niemals wiedergewinnen kann. Gegen alles Weh und
Ungemach meine heilende Arznei, Gottes Dienerin, meines
Willens Vollbringerin, meines Leibes Pflegerin, meines Ansehens und ihres Ansehens tägliche und nächtliche Beschüt-
zerin war sie unermüdlich. Was ihr anvertraut wurde, das
wurde von ihr ganz, rein und unbeschädigt, oft sogar ver-
mehrt zurückgebracht. Ehre, Anstand, Reinheit, Milde,
Treue, Besonnenheit, Fürsorge und Umsicht lebten stets an
ihrem Hof. Die Scham hielt ihr stets den Ehrenspiegel vor
Augen. Gott war ihr gütiger Schirmherr. Er war auch mir
gütig und gnädig um ihretwillen. Heil, Glück und Gelingen
standen mir bei um ihretwillen. Das hatte sie vor Gott erworben und verdient, der reine Haussegen. Gnädigen Lohn
und Sold gebe ihr der gütige Belohner aller treuen Söldner.
Allererhabenster Herr, sei ihr gnädig, denn ich selbst kann
ihr nichts mehr wünschen. Ach, ach, ach, schamloser Mörder, Herr Tod, übler Lasterbalg, der Henker sei Euer Richter und binde Euch mit den Worten »vergib mir« in seine
Folterwiege!

Des Todes widerrede. Cappittulum duodecimum.

Kondestu recht messen, wegen, zelen oder tichten, auß
odem kopff listu nicht solliche rede. Du fluchest vnd
byttest vnuerschickenlich vnde on notdorfft. Was tawg
sollich eßlerey? Wir haben vor gesprochen: kunstreiche,
edele, erhafft, fruchtich, [6ʳᵃ] ertig vnde alles was lebet,   5
muß von vnnser hende abhendig werden. Dannoch claf-
festu vnde sprichest, alles dein glucke sey an deynem reinen fromen weybe gelegen. Sol nach deyner meynung
gluck an weiben lygen, so wollen wir dir wol raten, das
du bey glucke beleybest. Wart newr, das es nit zu vn-   10
gelucke gerate! Sage vns: do du am ersten dein loblich weip namest, vandestu sie from oder machestu
sie frum? Hastu sie frumme gefunden, so such vernünfftigclichen: du vindest noch vil reiner, frommer frauwen auf dem ertereich, der dir eine zu der ee werden   15
mag. Hastu sie aber frum gemachet, so frewe dich: du
bist der lebendige meyster, der noch ein frumes weyp
geziehen vnde gemachen kan. Jch sage dir aber ander
mere: je mer dir liebes wirt, je mer dir leydes widerfert.
Hettestu dich vor liebes vberhaben, so werestu nun ley-   20
des vertragen. Je grosser lieb zu bekennen, ye grosser
leyt zu emperen lieb. Weyp, kint, schacz vnd alles
jrdisch gut muß etwas frewden am anfang vnd mer leydes an dem ende bringen. Alle jrdische   [6ʳᵇ] lieb muß
zu leyde werden. Leyt ist liebes ende,   der frewden   25
end ist trauren, nach lust *vn*lust muß kommen, willens
ende ist vnwillen. Zu sollichem ende lauffen alle lebendige ding. Lere es baß, willtu von kluckheyt ga*cz*en!

DER TOD. Das 12. Kapitel

Könntest Du richtig messen, wägen, zählen oder dichten, aus hohlem Kopfe ließest Du nicht eine solche Rede. Du fluchst und bittest ohne schickliche Form und ohne Notwendigkeit. Was bringt solche Eselei? Wir haben vorhin gesagt: Was beschlagen, hochstehend, ehrenvoll, fruchtbar, tüchtig ist, ja alles, was lebt, muß von unserer Hand abhanden kommen. Dennoch führst Du große Reden und behauptest, all Dein Glück sei in Deiner reinen, braven Frau gelegen. Soll Deiner Ansicht nach das Glück in den Frauen liegen, so wollen wir Dir raten, daß Du bei diesem Glück bleibst. Paß aber auf, daß es nicht zum Unglück gerate! Sag uns: als Du damals Deine gepriesene Frau nahmst, fandest Du sie brav oder machtest Du sie erst brav? Fandest Du sie brav, so suche mit Verstand: Du wirst noch zahlreiche reine, brave Frauen auf Erden finden, von denen Dir eine zur Ehefrau werden mag. Hast Du sie aber brav gemacht, so freue Dich: Du bist der lebendige Meister, der noch eine brave Frau heranziehen und formen kann. Ich sage Dir aber noch ein anderes: Je mehr Glück Dir zuteil wird, desto mehr Unglück widerfährt Dir. Hättest Du früher auf Glück verzichtet, so wärest Du jetzt vom Unglück befreit. Je größer das Glück, das Du kennenlernst, desto größer das Unglück, Glück zu entbehren. Weib, Kind, Schatz und alles irdische Gut muß ein bißchen Freude am Anfang und mehr Leid am Ende bringen. Alles irdische Glück muß zu Unglück werden. Unglück ist des Glückes Ende, der Freude Ende ist Trauer, nach Lust muß Unlust kommen, des Wollens Ende ist Widerwille. Auf ein solches Ziel bewegt sich alles Lebendige hin. Lerne Deine Lektion besser, willst Du von Schlauheit gackern!

Des Ackermannes widerrede. Cappittulum tredecimum.

Nach schaden volget spotten, das empfindent die betrubten wol. Also geschicht von euch mir beschedigten
manne. Liebes entspent, leydes gewent hapt jr mich. Als
lang gott will, muß ich es von euch leiden. Wie stumpf
ich bin, wie wenig ich han zu synnenreichen meystern   5
weyßheit gezocket, dannoch   weiß ich wol, das jr meyner eren rauber, meyner frewden diep, meyner guten
leptag steler, meyner wünnen vernichter vnd alles des,
das mir wünsam leben gemacht vnde gelübt hat, zursto-
rer seyt. Wes soll ich mich *nw* frewen? Wo soll ich nu   10
trost suchen? Wohin sol ich nu zuflucht han? Wo sol ich
heylstett finden? Wo sol ich trewen rat hollen? Hin ist
hin! Alle meyn frewde ist mir ee der zeit verswunden,
zu fruhe ist sie mir entwuschet; [6va] alczu schire hapt jr
mir sie enczucket, die getrewen, die gehewren, wann jr   15
mich zu witwar vnde meine kinder zu weysen so vnge-
nedigclich hapt gemachet. Ellende, allein vnde leydes vol
beleybe ich von euch vn*ergeczet*. Besserung bekonnde
mir von euch noch grosser missetat noch nie widerfaren.
Wie ist dem, herre Tot, aller e brecher? An euch kan nie-   20
mant *ichtcz* gutes verdynen; nach vntat wolt jr niemant
genug thun, niemant wollt jr ergeczen. Jch brufe, barm-
herczigkeyt wont bey euch nit. Fluchens seyt jr gewont,
genadenloß seyt jr an allen orten. Sullche gutet, die jr
beweist an den lewten, solliche genade, so die lewt von   25
euch empfahen, sollich lon, so jr den lewten gebt, sollich
ende, so jr den leuten tu*t*, schicke euch, *der* des tods
vnd lebe*n*s gewaltig ist. Fürst hymelischer massane*e*n,
ergecze mich vngehewers verlusts, michels schadens,
vnseligs trubsals vnde jemerliches wa*y*sentums! Dobey   30
gerich mich an dem erczschalcke Tod, gott, aller *vn*tat
gerecher   !

DER ACKERMANN. Das 13. Kapitel

Auf Schaden folgt Spott – das erfahren die Betrübten ständig. So geschieht es auch mir geschädigtem Mann durch Euch. Des Glücks entwöhnt, an Unglück gewöhnt habt Ihr mich. Solange Gott will, muß ich das von Euch erdulden. Doch, wie beschränkt ich auch bin, wie wenig ich auch bei kundigen Meistern Weisheit aufgesogen habe, so weiß ich doch, daß Ihr meines Ansehens Räuber, meines Glücks Dieb, meiner schönen Zeit Stehler, meiner Lust Vernichter und all dessen, was mir lustvoll das Leben und vielversprechend gemacht hat, Zerstörer seid. Worüber soll ich mich nun noch freuen? Wo soll ich nun Trost suchen? Wohin soll ich nun Zuflucht nehmen? Wo soll ich eine Heilstätte finden? Wo soll ich aufrichtigen Rat holen? Hin ist hin! All meine Freude ist mir vor der Zeit verschwunden, zu früh ist sie mir entglitten; allzu schnell habt Ihr sie mir entrissen, die Treue, die Treffliche, indem Ihr mich zum Witwer und meine Kinder zu Waisen so gnadenlos gemacht habt. Verstoßen, einsam und verzweifelt bleibe ich, von Euch nicht entschädigt; Entschädigung vermochte ich von Euch nach einer großen Untat noch nie zu bekommen. Wie steht es damit, Herr Tod, Brecher aller Ehen? Von Euch kann niemand Gutes erlangen; nach einem Verbrechen wollt Ihr niemandem Genüge tun, niemanden wollt Ihr entschädigen. Ich stelle fest, Mitleid hat bei Euch keinen Platz. Fluchen seid Ihr gewöhnt, gnadenlos seid Ihr ohne Ausnahme. Doch eben solche Wohltaten, wie Ihr sie den Leuten erweist, solche Gnade, wie sie den Leuten von Euch zuteil wird, solche Belohnung, wie Ihr sie den Leuten gebt, solches Ende, wie Ihr es den Leuten antut, schicke Euch der, der die Gewalt hat über Leben und Tod! Fürst himmlischer Heerscharen, entschädige mich für den ungeheuren Verlust, den riesigen Schaden, die unselige Trübsal und die schmerzliche Verwaisung! Zugleich räche mich an dem Erzschuft Tod, Gott, aller Untaten Rächer!

[6vb] Des Todes widerrede.
Cappittulum decimum quartum.

An nucz geredt! Als mer geswigen wenn torlich geredt!
Nach törlicher rede kryeg, nach krieg veyntschafft, *nach
feintschaft* vnrew, nach vnreuwe   serung, nach serung
wetag, nach wetag affterrew muß iedem verworren
mann begeynen. Krieges mutestu vns an. Du clagst, wie   5
wir leyt haben getan an deiner zumal lieben frauwen. Jr
ist gutlich vnd genedigclich gescheen. Bey frolicher jugent, bey stolczen leybe, jn besten leptag, jn besten würden, an besser zeytt, mit vngekrenckten eren habent wir
sie jn *vnser gnad* empfangen. Das haben gelobt, das ha-   10
ben begert alle weissagen, wann sie sprachent: am besten
zu sterben, wann am besten zu leben. Er ist nit wol gestorben, wer sterbens het begert. Er hat zu lange gelebt,
wer vns vmb sterben hat angeruffet. We vnd vngemach
jm, wer mit alters burde wirt vberladen; bey allem reich-   15
tum muß er arm wesen. Des jars, do die hymmelfart offen war, an des [7ra] hymmels torwarters kettenfeyrtag,
do man zalt vom anfang der welt sechstausent funffhun-
dert newnvndnewnczig jare, bey kindes gepurt die seligen martrerjnn hieß wir raumen das kurcz scheinende   20
ellende, auff die meynung, das sie solt zu gottes erbe, jn
ewige frewde, jn jmmerwerendes leben vnd zu vnendi-
ger rew nach gutem verdynen genedigclich komen. Wie
hessig du vns bist, wir wollen dir wünschen vnd gonnen,
das dein sele mit der jren dort jn hymelischer wonung,   25
dein leip mit dem jren pein alhie in der erden gerufft
wesen sollten. Bürge wolten wir werden, jr gutat wurdestu genissen. Sweig,   enthalt! Als wenig du kanst der
sonnen jr liecht, dem mon sein kelte, dem fewer sein
hicze, dem wasser sein ness benemen, also wenig kanstu   30
vns vnser macht berawben.

DER TOD. Das 14. Kapitel

Nutzlos geplappert! Besser geschwiegen als dumm geschwätzt! Nach dummer Rede Streit, nach Streit Feindschaft, nach Feindschaft Kampf, nach Kampf Verletzung, nach Verletzung Schmerz, nach Schmerz späte Reue – so muß es jeder Wirrkopf erfahren. Streit suchst Du mit uns. Du klagst, daß wir Leid zugefügt haben Deiner ach so guten Frau! Ihr sind Güte und Gnade erwiesen worden. In blühender Jugend, in prächtiger Verfassung, in besten Tagen, in bester Achtung, zur besten Zeit, in unbeschädigtem Ansehen haben wir sie in unserer Gnade aufgenommen. Das haben gelobt, das haben erstrebt alle Philosophen, denn sie meinten: Am besten ist es zu sterben, wenn am besten zu leben. Nicht gut gestorben ist, wer das Sterben ersehnt hat. Zu lange gelebt hat, wer uns ums Ende angefleht hat. Jammer und Verdruß dem, der die Bürden des Alters aufgeladen bekommt; mit all seinem Reichtum ist er arm dran. Im Jahr, da die Himmelfahrt offen war, an des Himmelspförtners Kettenfeiertag, als man zählte vom Anfang der Welt 6599 Jahre, bei eines Kindes Geburt, da ließen wir die selige Dulderin dieses flüchtige Exil verlassen, mit der Absicht, daß sie zu Gottes Erbe, in ewige Freude, in immerwährendes Leben und zu unendlicher Ruhe, wie sie es wohl verdient hat, gnadenvoll kommen möge. Wie sehr Du uns auch feind bist, wir wollen Dir wünschen und gönnen, daß Deine Seele mit der ihren dort in der himmlischen Wohnung, Dein Leib mit ihrem Gebein hier in der irdischen Gruft vereint sein möge. Bürge wollten wir sein, daß Du ihrer Güte teilhaftig würdest. Schweig, halt ein! Sowenig Du der Sonne ihr Licht, dem Mond seine Kälte, dem Feuer seine Hitze, dem Wasser seine Nässe nehmen kannst, sowenig kannst Du uns unserer Macht berauben.

Des Ackermannes widerrede.
Cappittulum quindecimum.

Beschonter außrede bedarf wol schuldiger man. Also tut
jr auch. Suss vnde sawer, lind vnd hert, gutigscharpff
pflegt jr euch zu [7ʳᵇ] beweisen *den*, die jr meint zu be-
trigent. Des ist an mir schein worden, wye sere *ir* euch
beschonet. Doch weyss ich, das ich der erenfollen,   5
durchschonen von ewer swinden vngenade wegen kum-
merlich emberen muß. Auch weyß ich wol, das solliches
gewaltes sunder gott vnde ewer niemant ist gewaltigt. So
bin jch von gott also nicht *geplaget*, wann hett ich mißgefarn gen gott, als leyder dick geschehen ist, das hett er   10
an mir gerochen oder es hett mir widerbracht die wandelsan. Jr seyt der vbelteter! Hirvumbe west ich gern,
wer jr wert, *was ir wert, wo ir doch wert, von wann ir
wert,* warzu jr tuchtig wert, das jr so uil gewalts hapt
vnde an entsagen mich also gefordert, meynen wünrey-   15
chen anger geödt, meynen stercken turen vntergraben
vnde gefellet hapt. Ey gott, aller betrubten herczen tro-
ster, trost mich vnd ergecze mich armen, betrubten, ellenden, selbsiczenden man! Gibe, herre, pfleg, thu wider
vorten, leg an klemnüß vnde vertylge den grewlichen   20
todt, der dein vnd aller vnser veint ist! *Herre, in deiner
würkung ist* nichts grewlichers, [7ᵛᵃ] nichts schewcz-
lichers, nichts schedlichers, nicht herbers, nit vnrechters
dann der todt. Er betrubt vnde verruret dir alle dein
jrdisch herschafft. Ee das tuchtig dann das vntuchtig   25
nympt er hin; schedlich,   alt, siech, vnnücze lewt lest er
offt alhie, die guten vnd nüczen zewcht er alle hin.
Recht, herre, recht vber den falschen richter!

DER ACKERMANN. Das 15. Kapitel

Beschönigender Ausrede bedarf der Schuldige wohl. So
auch Ihr. Süß und sauer, sanft und hart, freundlich tadelnd
zeigt Ihr Euch gewöhnlich denen, die Ihr zu betrügen hofft.
Das ist an mir sichtbar geworden, wie gut Ihr Euch heraus-
zureden versteht. Doch weiß ich, daß ich die Ehrenvolle,
Ganzschöne Eurer übergroßen Ungnade wegen schmerzlich entbehren muß. Auch weiß ich wohl, daß zu solcher
Gewalt außer Gott und Euch niemand mächtig ist. Also,
von Gott werde ich nicht so sehr gepeinigt: Hätte ich gegen
Gott gefehlt, was leider oft vorgekommen ist, so hätte er es
an mir gerächt oder es hätte die Unwandelbare an mir gut-
gemacht. Ihr seid der Übeltäter! Deshalb wüßte ich gerne,
wer Ihr wäret, was Ihr wäret, wo Ihr wäret, woher Ihr wäret, zu was Ihr gut wäret, daß Ihr so viel Macht habt und
ohne Fehdeansage mich so belangt, meinen lustvollen Anger verödet, meinen starken Turm untergraben und gefällt
habt. O Gott, aller betrübten Herzen Tröster, tröste mich
und entschädige mich armen, betrübten, verstoßenen, auf
sich selbst verwiesenen Mann! Überzieh, Herr, mit Plage,
entferne wieder, leg in Fesseln und vernichte den gräßlichen
Tod, der Dein und unser aller Feind ist! Herr, in Deiner
Schöpfung ist nichts Gräßlicheres, nichts Schrecklicheres,
nichts Bittereres, nichts Ungerechteres als der Tod. Er trübt
und stört Dir Deine ganze irdische Herrschaft. Eher das
Brauchbare als das Unbrauchbare nimmt er fort; schädliche,
alte, kranke, unnütze Leute läßt er oft hier, die guten und
nützlichen rafft er sämtlich hin. Richte, Herr, richte über
den falschen Richter!

Des Todes widerrede. Cappittulum sedecimum.

Was bose ist, das *nennen* gut, was gut ist, das heissen
boß synnloß lewte. Dem gleychen tustu auch. Valsches
gerichtes zeihestu vns, *vns* thustu vnrecht; das wollen
wir dich vnterweysen. Du fragest, wer wir sein. Wir
seyn gottes hant, herr Tot, ein rechter, würckender me-   5
der; *vnser senngse get für sich: weyß, swarcz, rot*,
prawnn, grün, bla, gra, gelb vnd allerley glancz plumen
vnd graß hewt sie für sich nyder, jrs glanczes, jrer krafft,
jr tugend nichts geachtet. So genewst der veyel nicht seiner schon varbe, seines reichen ruches. Sich, das ist   10
rechtuertigkeyt! *Vns haben rechtuertig* geteylt die Romer vnd die poeten, wann sie [7vb] vns baß wann du be-
kanten. Du fragest, was wir sein. Wir sein nichts vnd
sein doch etwas. Deshalben nichts, wann wir weder
leben weder wesen noch gestalt noch vnterstent ha-   15
ben, nicht geyst sein, nicht sichtigclich, nit greyffenlich
sein. Deshalben etwas, wann wir sein des lebens ende,
des wesens ende, des nicht wesens anfang, ein myttell
zwüschen jn bayden. Wir seyn ein geschicht, die alle
lewt fellt. Die grossen hewnen   müssent vor vns vallen.   20
Alle wesen, die leben haben, mussent verwandelt vor
vns werden. Jn hohen schulden werdent wir gezigen. Du
fragest, wie wir *sein*. Vnbeschedenlich sein wir, doch
vant du vns zu Rome jn einen tempel an einer want ge-
malett als ein man auff einem ochssen, dem die augen   25
verpunden waren, syczend. Der selbe man fürent ein
hawen jn seiner rechten hant vnde ein schauffel jn der
lincken, domit vacht er auff dem ochssen. Gegen jm
sluge, warff vnd streyt ein michel [8ra] menig volckes,
allerley lewt, jgliches mensch mit seynes hantwercks   30
gezewge; do was auch die nunne mit deme psalter. Die
slugen vnd wurffen den man auff dem ochssen. Jn
vnnser betrubnüß bestrait der Tot vnde begrub sie alle.
Pitagoras gleicht vns zu eynes mannes schein, der hett

DER TOD. Das 16. Kapitel

Was schlecht ist, das nennen gut, was gut ist, das nennen
schlecht unsinnige Leute. Genau so machst es auch Du. Falscher Rechtsausübung bezichtigst Du uns, unrecht tust Du
uns damit; darüber wollen wir Dich aufklären. Du fragst,
wer wir sind. Wir sind Gottes Hand, Herr Tod, ein gerechter, tätiger Schnitter; unsere Sense geht ihren Gang: weiße,
schwarze, rote, braune, grüne, blaue, blasse, gelbe und allerlei Prachtblumen und Gräser mäht sie vor sich nieder, ungeachtet ihrer Pracht, ihrer Kraft, ihrer Vorzüge. So hat auch
das Veilchen nichts von seiner schönen Farbe, seinem vollen
Duft. Schau, das ist Gerechtigkeit! Uns haben als gerecht
eingestuft die Römer und die Poeten, denn sie kannten uns
besser als Du. Du fragst, was wir sind. Wir sind nichts und
sind doch etwas. Deshalb nichts, weil wir weder Leben
noch Wesen noch Form noch Substanz haben, nicht Geist
sind, nicht sichtbar, nicht greifbar sind. Deshalb etwas, weil
wir des Lebens Ende sind, des Wesens Ende, des Nicht-
Wesens Anfang, ein Mittleres zwischen ihnen beiden. Wir
sind eine Schickung, die alle Leute zu Fall bringt. Die großen Hünen müssen vor uns fallen. Alle Wesen, die über
Leben verfügen, müssen vor unserm Angesicht verwandelt
werden. Großer Dinge haben wir uns zu verantworten. Du
fragst, wie wir sind. Unbestimmbar sind wir, doch sahst Du
uns zu Rom in einem Tempel an eine Wand gemalt: ein
Mann, mit verbundenen Augen auf einem Ochsen sitzend.
Dieser Mann hielt eine Hacke in der rechten Hand und eine
Schaufel in der linken, damit kämpfte er auf dem Ochsen.
Gegen ihn schlug, warf und stritt eine große Menschen-
menge, verschiedenste Leute, jedes Menschenkind mit sei-
nem Handwerkszeug; da war auch die Nonne mit dem
Psalter. Die schlugen und bewarfen den Mann auf dem
Ochsen. Gemäß unserer betrüblichen Aufgabe führte der
Tod seinen Kampf und begrub sie alle. Pythagoras ver-
gleicht uns mit der Erscheinung eines Mannes, der Basilis-

baseliscen augen, wanderten *in* allen enden der welte,   35
vor des gesichte sterben must alle lebendige creatuer. Du
fragest, von wann wir weren. Wir sein von dem jrdischen paradeise. Do tirmt vns gott vnde nant vns mit
vnserm rechten namen, do er sprach: 'welliches tages
jr der frucht empeyssent, des todes wert jr sterben'.   40
Darvmb wir vns also schreiben: wir, Tot, herre vnd gewaltiger auff erden, jn der lufft vnd meres straum. Du
fragest, warzu wir duchtig sein vnd waren. Do hastu vor
gehort, das wir der welt mer nüczes dann vnnüczes
bringen. Hor auff, laß dich genügen vnd danck vns, das   45
dir von vns so gutlichen ist gescheen.

Des Ackermans widerrede.
Cappittulum decimum septimum.

Alter man newe mer, gelart man vnbekant mere, ferre
gewandert [8rb] man vnd einer, wider den nymant reden
tar, gelogen mere wol sagen turren, wann sie von vnwis-
senden sachen wegen sein vnstrafflich. Wann jr dann
auch ein sollicher alter man seyt, so mugt jr wol *ti*chten.   5
Allein jr jn dem paradeiß gefallen seyt ein meder vnde
rechtes rümet, doch hewet euwer segenß neben recht.
Mechtig plumen rewt sie *auß*, die dystel lasset sie stan;
vnkrawt bleybt, die guten kreuter müssen verderben. Jr
icht, ewer segenß hawe für sich. Wie ist dann dem, daß   10
sie mer distel dann gut plumen, mer mewß dann cameln,
mer boser lewt *dann guter* vnuersert lest beleiben?
Nennt mir, mit dem finger weist mir: wo seint die frommen, achtperen lewt, als vor zeitten waren? Jch wen, jr
hapt sie hin. Mit jn ist auch mein *li*ep; die vsel seint auch   15
vber blyben. Wo seint sie hin, die auff erden wonten,
mit *go*tt redten, an jm hulde, genade, rechnung erwur-
ben? Wo seint sie hin, die auff erden sassent, vnter de*m*

kenaugen hatte – die schweiften bis an die Grenzen der Welt
– und vor dessen Blick sterben mußte jede lebende Kreatur.
Du fragst, woher wir wären. Wir sind vom irdischen Paradies. Da setzte uns Gott ein und nannte uns bei unserm
rechten Namen, als er sagte: »Am Tag, da ihr von der Frucht
eßt, werdet ihr den Tod erleiden.« Deshalb schreiben wir
uns so: Wir, Tod, Herr und Herrscher auf Erden, in der
Luft und im Meeresstrom. Du fragst, wozu wir gut sind
und waren. Schon vorhin hast Du gehört, daß wir der Welt
mehr Nutzen als Schaden bringen. Hör auf, gib Dich zu-
frieden und danke uns, daß Dir von uns solche Güte erwiesen wurde.

DER ACKERMANN. Das 17. Kapitel

Ein alter Mann darf Neues vorbringen, ein gelehrter Mann
Unbekanntes, ein weitgewanderter und einer, dem nicht zu
widersprechen ist, Gelogenes, denn angesichts unbekannter
Dinge sind sie nicht zur Rechenschaft zu ziehen. Wenn Ihr
denn auch so ein alter Mann seid, so vermögt Ihr wohl zu
dichten. Obschon Ihr im Paradies ins Dasein gefallen seid
als Schnitter und Euch des Rechts rühmt, so verfehlt Eure
Sense doch das Recht. Prächtige Blumen rodet sie aus, die
Disteln läßt sie stehen; Unkraut bleibt, die guten Kräuter
müssen verderben. Ihr behauptet, Eure Sense mähe vor sich
hin. Wie ist es dann damit, daß sie mehr Disteln als ansehn-
liche Blumen, mehr Mäuse als Kamele, mehr schlechte
Leute als gute unversehrt läßt? Nennt mir, mit dem Finger
zeigt mir: Wo sind die guten, geachteten Leute, wie sie vor
Zeiten lebten? Ich denke, Ihr habt sie hingerafft. Mit ihnen
ist auch meine Liebste; die Aschenflocken dagegen sind
übriggeblieben. Wo sind sie hin, die auf Erden lebten, mit
Gott sprachen, sich an ihm Huld, Gnade und Rechenschaft
verdienten? Wo sind sie hin, die auf Erden wohnten, unter

gestyrne vmbgingen vnde entscheyden die planeten? Wo
seint sie hin, die synnreichen, die meysterlichen, [8va] die   20
gerechten, die fruchtigen lewte, von den die kronicken
so *uil* sagen? Jr hapt alle vnde meyn zarte ermordet, die
snöden seint noch alda. Wer ist daran schuldig? Torst jr
der warheyt bekennen, herr Todt, jr wurden euch selber
nennen. Jr sprechent vast, wie recht jr richtent, niemants   25
schont, ewer segenß hew nach einander fellet. Jch stunde
do bey vnde sahe mit meynen augen zwo vngehewer
schare volckes, yede hett vber drewtausent man, mit einander streytten auff einer grunen heyde. Die wüten jn
dem plute bis vnter den waden. Darvnter snurret jr vnd   30
wurrent gar gehefftig an allen enden. Jn dem here tot jr
etlich, etlich list jr stan. Mere knecht dann   herren sach
jch tott lygen. Do claubet jr einen auß den andern als die
teygen pirn. Ist das recht gem*ee*t? Ist das recht gericht?
Geet so ewer segenß für sich? Wol her, lieben kinder,   35
wol her! Reyt wir engegen, enbiet vnde sag wir lob vnde
ere dem Tode, der also recht richtett. Gottes recht kawm
also ge[8vb]richt.

Des Todes widerrede.
Cappittulum decimum octauum.

Wer von sachen nicht enweiß, der kan von sachen nit ge-
sagen. Also ist vns auch gescheen. Wir westen nit, das du
als ein richtiger man werest. Wir haben dich lang erkannt, wir hettent aber dein vergessen. Wir waren do
bey, do   fraw Weyßheyt dir die weißheyt mitteylet, do   5
herr Salomon an dem totbett dir s*ei*n weyßheyt verrey-
chet, do gott alle die gewalt, die *er* hern Moyses jn Egip-
tenlant verlihen hette, dir verlehe, do du einen l*ew*en
bey dem beyn namest vnde jn an die want slugest. Wir
sahen dich die stern zelen, des meres grieß vnd sein vi-   10
sche rechen, der regentropfen reyten. Wir sahen geren

dem Gestirn wandelten und die Planeten bestimmten? Wo sind sie hin, die sinnigen, die gelehrten, die gerechten, die tätigen Leute, von denen die Chroniken so viel berichten? Ihr habt sie alle und meine Zarte ebenso ermordet; die Verachtenswerten sind noch da. Wer ist daran schuld? Wagtet Ihr die Wahrheit zu bekennen, Herr Tod, Ihr würdet Euch selber nennen. Ihr protzt damit, wie gerecht Ihr richtet, niemanden schont, wie Eure Sense ein Grasbüschel ums andere abmähe. Ich stand dabei und sah mit eigenen Augen zwei ungeheure Scharen Kriegsvolk – jede hatte über 3000 Mann – miteinander kämpfen auf grüner Heide. Die wateten im Blut bis an die Waden. Unter ihnen saustet Ihr und braustet kräftig an allen Ecken und Enden. Im Heer tötetet Ihr etliche, etliche ließt Ihr stehen. Mehr Knechte als Herren sah ich tot liegen. Da klaubet Ihr einen aus den anderen heraus wie eine weiche Birne. Ist das recht gemäht? Ist das recht gerichtet? Geht so Eure Sense vor? Nur her, liebe Kinder, nur her! Reiten wir ihm entgegen, entbieten wir Lob und bezeigen wir Ehre dem Tod, der so gerecht richtet. Gottes Recht richtet schwerlich ebenso.

DER TOD. Das 18. Kapitel

Wer von den Dingen nichts weiß, der kann von den Dingen nichts sagen. So ist es auch uns gegangen. Wir wußten nicht, daß Du so ein trefflicher Mann wärest. Wir kennen Dich lange, wir hatten Dich aber vergessen. Wir waren dabei, als Frau Weisheit Dir die Weisheit einflößte, als Herr Salomon auf dem Totenbett Dir seine Weisheit anvertraute, als Gott all die Gewalt, die er Herrn Moses in Ägypten verliehen hatte, Dir verlieh, als Du einen Löwen beim Bein packtest und ihn an die Wand schlugst. Wir sahen Dich die Sterne zählen, des Meeres Sandkörner und seine Fische berechnen, die Regentropfen veranschlagen. Wir sahen mit Vergnügen

den wetlauff an dem hasen. Zu Babilon vor konig Soldan *sahen wir dich kost vnd getranck jn grossen wirden
credenczen.* Do du das paner vor Allexander fürtest, do
er *Darjum bestrayt, *do* lugt wir zu vnd gonden dir wol   15
der eren. Do du zu Achademia vnd zu Athenis mit ho-
hen künstenreichen meystern, die auch jn die gotheyt
meysterlichen sprechen konden, abentewren oblagest,
[9ʳᵃ] do sahen wir vns zumal liebe. Do du Neronem
vnterweysest, das er gut tett vnde gedultig wesen solte,   20
do horcht wir gutlichen zu. Vns wundert, das du keyser
Julium jn einem roren schiff vber das wilde mere fürtest
an danck aller sturmwinde. Jn dein werckstat sahen wir
dich ein edel gewant von regenpogen würcken; darein
wurden engel, vogel, tier, visch vnd allerley gestalt, do   25
was auch die ewl vnd der aff, *jn* weuels weyß getragen.
Zumal sere lachten wir vnd wurden des für dich rümig,
do du zu Pareiß auff dem gluckesrade sassest, auff der
heutte tanczest, jn der swarczen kunst würckest vnd
bannest die tewfel jn ein selczam glas. Do dich gott be-   30
ruffet jn seinen rat zu gesprech vmb frauwen Euä vall,
allererst wurden wir deiner weyßheyt jnnen. Hett wir
dich vor erkannt, wir hetten dir gefolget; wir hetten dein
weyp vnd alle lewte ewig lassen leben. *Das het wir dir
allein zu eren getan*, wann du bist zumal ein cluger esell!   35

Des Ackermanns widerrede.
Cappittulum decimum nonum.

Gespott vnd vbelhandelung [9ʳᵇ] müssen dick auffhalten
durch warheyt willen die lewt. Gleicher weise geschicht
mir. Vnmuglicher ding rumet jr euch, vngehort werck
wurcket jr, gewaldes treybt jr zu vil. Gar vbel hapt jr an
mir gefaren; das müet mich allzu sere. Wann ich dann   5
darvmb rede, so seyt jr mir gehessig vnd werdent zornes
vol. Wer vbel tut, will nit vntertan vnd straffung leyden,

den Wettlauf gegen den Hasen. Zu Babylon vor dem Sultan sahen wir Dich Speis und Trank würdevoll kredenzen. Als Du das Banner für Alexander führtest, da er Darius besiegte, da schauten wir zu und gönnten Dir wohl den Ruhm. Als Du in der Akademie und in Athen mit hochgelehrten Meistern – die auch über Göttliches unübertrefflich zu sprechen wußten – Außerordentliches vollbrachtest, da sahen wir, was uns überaus freute. Als Du Nero unterwiesest, daß er gut handeln und geduldig sein sollte, da hörten wir wohlwollend zu. Wir staunten, daß Du Kaiser Julius in einem Schilfkahn über das wilde Meer brachtest, ungeachtet aller Sturmwinde. In Deiner Werkstatt sahen wir Dich ein edles Gewand aus Regenbogen schaffen; in das wurden Engel, Vögel, Tiere, Fische und allerlei Gestalten – da waren auch die Eule und der Affe – in Form von Einschlägen eingewebt. Herzhaft lachten wir und rühmten Dich dafür, als Du zu Paris auf dem Glücksrad saßest, auf der Haut tanztest, in der schwarzen Kunst wirktest und die Teufel in ein seltsames Glas banntest. Als Dich Gott in seinen Rat berief zum Gespräch über Frau Evas Fall, da zuallererst wurden wir auf Deine Weisheit aufmerksam. Hätten wir Dich früher erkannt, wir wären Dir gefolgt, wir hätten Deine Frau und alle Leute ewig leben lassen. Das hätten wir Dir allein zu Ehren getan, denn Du bist fürwahr ein kluger Esel!

DER ACKERMANN. Das 19. Kapitel

Gespött und Mißhandlung müssen die Leute oftmals um der Wahrheit willen aushalten. So geht es auch mir. Unmöglicher Dinge rühmt Ihr Euch, unerhörte Werke vollbringt Ihr, Gewalt übt Ihr gar zu viel aus. Wirklich übel seid Ihr mit mir umgesprungen; das verdrießt mich über die Maßen. Wenn ich aber deswegen Einspruch erhebe, so kommt Ihr mir spitz und werdet zornig. Wer Böses tut, will nicht

sunder mit vbermut aller ding vertreyben; der soll gar
eben auffsehen, das jm nit vnwillen darnach begeyne.
Nempt beyspel bey mir: wie zu kurcz, wie zu lang, wie 10
vngutlich, wie vnrecht jr mir mit hapt gefaren, dannocht
dulde ich vnd rich es nitt, als jch zu recht solte. Noch
hewt wil ich der besser sein, han jch icht vngleiches oder
vnhubsches gegen euch geparet; des vnterweyst mich,
ich will sein gernwilligclich wyderkomen. Jst des nicht, 15
so ergeczent mich oder vnterweysent mich, wie jch wi-
derkome meynes grossen herczeleydes. Werlich, also zu
kurcz geschäch nie manne. Vber das alles meyn be-
schey[9ᵛᵃ]denheyt sullt jr ie sehen. Eintweder jr widerbringt,   was jr an meiner trau*ren*wenderin, an mir vnd 20
an meynen kinden arges hapt begangen, oder kompt des
mit mir an gott, der do ist meyn, ewer vnde aller welt
rechter richter. Jr mocht mich leicht erbytten. Jch wolt es
zu euch selber lassen. Jch trewet euch wol, jr wurdent
ewer vngerechtigkeyt selber erkennen, darnach mir ge- 25
nugen thun nach grosser vntat. Begert die bescheyden-
heyt, anders es müst der hamer den anpaß treffen, hert
wider hert wesen! Es kum, zu wo es komme!

Des Todes widerrede. Cappittulum vicesimum.

Mit guter rede werdent ge*sen*ft die lewte, bescheyden-
heyt behelt die lewt bey gemach, gedult bringet *die* leutt
zu eren. Zorniger man kan den man nicht entscheyden.
Hettestu vns vormals gutlichen zugesprochen, wir hetten dich gutlich vnterweiset, das du nicht billich den tot 5
*d*eins weibs clagen soltest vnde beweynen. Hastu nicht
gekant den weyssagen, der jn dem bade sterben wolt,
oder [9ᵛᵇ] sein bucher gelesen, das niemant soll clagen den tot der totlichen? Wistu des nicht, so wiß: als

Unterordnung und Strafe erdulden, sondern mit Hochmut aller Leute Sache abtun; er mag nur achtgeben, daß ihm nicht Unwille daraufhin begegne. Nehmt ein Beispiel an mir: Wie unzulänglich, wie übertrieben, wie ungnädig, wie ungerecht Ihr mir auch mitgespielt habt, dennoch dulde ich es und räche es nicht, wie ich von Rechts wegen sollte. Noch heute will ich Besserung geloben, sollte ich mich irgendwie ungebührlich oder unhöflich Euch gegenüber verhalten haben; belehrt mich darüber, ich will es bereitwillig wiedergutmachen. Ist dem nicht so, so entschädigt mich oder belehrt mich, wie ich meinen großen Kummer überwinde. Wahrlich, so benachteiligt wurde noch kein Mann. Trotz alledem mögt Ihr immer meine Einsichtigkeit sehen. Entweder Ihr macht gut, was Ihr an meiner Trauerabwenderin, an mir und an meinen Kindern Böses begangen habt, oder kommt deswegen mit mir vor Gott, der da mein, Euer und aller Welt gerechter Richter ist. Ihr könntet mich leicht durch Bitten bewegen. Ich wollte es Euch selber überlassen. Ich traute Euch wohl zu, Ihr würdet Eure Ungerechtigkeit selber einsehen und mir dann Genugtuung verschaffen für die große Untat. Strebt nach Einsicht, sonst müßte der Hammer den Amboß treffen, Härte gegen Härte stehen! Es komme, wozu es kommen muß!

DER TOD. Das 20. Kapitel

Mit Schmeichelei werden die Leute besänftigt, Einsichtigkeit hält die Leute bei Laune, Geduld bringt die Leute zu Ehren. Ein zorniger Mann kann über einen anderen nicht urteilen. Hättest Du Dich zuvor im guten an uns gewandt, wir hätten Dich im guten belehrt, daß Du nicht ungebührlich den Tod Deiner Frau beklagen und beweinen solltest. Hast Du nicht den Philosophen gekannt, der im Bade sterben wollte, oder in seinen Büchern gelesen, daß niemand beklagen soll den Tod der Sterblichen? Wußtest Du's nicht,

balde　ein mensche geporen wirt, als balde hat es den　10
leyckawff getruncken, das es sterben muß. Anfanges ge-
swistre ist das ende. Wer außgesant wirt, der ist pflichtig
wider zu kommen. Was ye gescheen soll, des sol sich
niemant widern. Was alle lewt leiden müssen, das soll
einer nit widersprechen. Was ein mensch entlehent, das　15
soll er widergeben. Ellend bauwen alle lewt auff erdenn;
von icht zu nicht müssent sie werden. Auff snellem fuss
laufft hin der menschen leben, jeczund lebend, jn einem
hantwenden gestorben. Mit kurczer rede beslossen: ein
yeder mensche ist vns ein sterben schuldig vnd jn anerbt　20
zu sterben. Beweinestu aber deins weybes jugent, du
tust vnrecht: als schier　ein mensche lebendig wirt, als
schier ist es alt genug zu sterben. Du meinst leicht, das
alter sey ein edel hort? Nein, es ist sichtig arbeyt, vnge-
stalt kält vnd allen lewten [10ra] vbel gefallent. Es taug　25
nicht vnd ist zu allen sachen entwicht. Zeyttig opffel
vallen gern jn das kot, reysende byren vallen gern jn die
pfüczenn. Clagestu dann jr schone, du tust kintlych: eines yglichen menschen schön muß eintweder das alter
oder der tot vernichten. Alle rosenvarbe mundlein, alle　30
rote wenglein müssent bleich werden, alle liecht augen
müssent tunckel werden. Hastu nicht gelesen, wie Hermes der weyssage lernet, wie sich ein man hüten soll vor
schenen weyben, vnd spricht: was schon ist, ist mit teglicher beysorge swere zu halten, wann sein alle lewt bege-　35
ren; was scheuczlich ist, das ist leytlich zu halten, wann
es mißuellet allen lewten. La faren! Clage nicht verlust,
die du nit kanst widerpringen!

so wisse jetzt: Sobald ein Menschenkind geboren ist, sogleich hat es den Kontrakt besiegelt, daß es sterben muß. Des Anfangs Geschwister ist das Ende. Wer ausgesandt wird, der ist verpflichtet wiederzukommen. Was einmal geschehen muß, dem soll sich niemand widersetzen. Was alle Leute erleiden müssen, dem soll ein einzelner nicht widersprechen. Was ein Mensch entleiht, das soll er wiedergeben. Als Fremde richten alle Leute sich auf Erden ein; von etwas zu nichts müssen sie werden. Schnellfüßig läuft dahin der Menschen Leben; eben noch lebendig, im Handumdrehen tot. Um die Rede kurz zu machen: Ein jeder Mensch ist uns ein Sterben schuldig, ist es ihm doch vererbt zu sterben. Beweinst Du aber Deines Weibes Jugend, so tust Du unrecht: So schnell ein Menschenkind ins Leben kommt, so schnell ist es alt genug zu sterben. Du glaubst vielleicht, das Alter sei ein kostbarer Schatz? Mitnichten! Es ist kränkliche Mühsal, häßliches Frösteln und allen Leuten unangenehm. Es taugt nichts und ist für alle Dinge ungeeignet. Zeitige Äpfel fallen gern in den Kot, reife Birnen fallen gern in die Pfütze. Beklagst Du dann ihre Schönheit, so handelst Du kindlich: Eines jeden Menschen Schönheit muß entweder das Alter oder der Tod vernichten. Alle rosenfarbenen Mündlein, alle roten Wänglein müssen bleich werden, alle klaren Augen müssen trüb werden. Hast Du nicht gelesen, wie Hermes, der Philosoph, lehrt, daß sich ein Mann hüten soll vor schönen Frauen, und feststellt: Was schön ist, ist auch mit täglicher Fürsorge kaum zu halten, denn alle Leute begehren es; was häßlich ist, das ist leicht zu halten, denn es mißfällt allen Leuten. Laß gut sein! Beklage nicht Verlorenes, das Du nicht wiedergewinnen kannst!

Des Ackermannes widerrede.
Cappittulum vicesimum primum.

*G*ut straffung gutlichen auffnemen, darnach tun soll
weiser man, hore ich die weisen jheen. Ewer straffung
ist *a*uch leydenlich. Wenn dann ein guter straffer auch
ein guter anweyser wesen soll, so ratent vnde vnterweysent mich, wie j*ch* so vnsegen[10rb]lichen leyt, so jemer-   5
lichen kumer, so auß der massen groß betrubnüß auß
dem herczen, auß deme mut vnd auß den synnen auß-
graben, außtilgen vnd außjagen sullen. Bey gott, vnuol-
segenlich herczeleydt ist mir gescheen, do mein zuchtige, trew vnd stete haußere mir so snelle ist enzucket.   10
Sie todt, jch wit*w*er, meyne kint weysen worden seint.
O herre Todt, alle welt clagt vber euch vnde auch ich.
*Doch nie so boser man wurde, er wer an etwer gut. Ra-
tent, helffent vnde stewert, wie ich so sweres leyt von
herczen werffen müge vnde meyn kinder einer sollichen   15
reynen muter ergeczet werden; anders ich vnmutig vnd
sie traurig ymmer wesen müssen. Vnd das sollt jr mir
nit jn vbel verfahen, wann ich sihe, das vnter *vn*vernunfftigen tieren eint gat vmb des andern tott trauret
von angeborem zwange. Hilff, rates vnd widerbringens   20
seyt jr mir pflichtig, wann jr hapt mir getan den schaden. Wo des nicht geschee, dann gott hett jn seiner al-
mechtigkeyt nyndert rachung. Gerochen [10va] must es
werden wider vnde sollt darvmb hawen vnde schawfel
noch aynsten gemühet werden.   25

Des Todes widerrede.
Cappittulum vicesimum secundum.

Gä, gä, gä, snattert die gans, man predig, was man wöll.
Sollich fadenricht spynnest auch du. Wir hant vor ent-
worffen, das vnclegelichen wesen soll der tot *d*er toten.

DER ACKERMANN. Das 21. Kapitel

Gutgemeinten Tadel im guten aufnehmen: so soll es ein
weiser Mann halten, höre ich die Weisen sagen. Euer Tadel
ist ja auch erträglich. Wenn dann aber ein guter Tadler auch
ein guter Ratgeber sein soll, so beratet und belehrt mich,
wie ich so unsagbares Leid, so bohrenden Schmerz, so über
die Maßen große Trübsal aus dem Herzen, aus dem Gemüt
und aus dem Sinn ausmerzen, austilgen und austreiben soll.
Bei Gott, unsagbarer Kummer ist mir widerfahren, als mein
gedeihlicher, treuer und zuverlässiger Haussegen mir so
rasch entrissen wurde. Sie tot, ich Witwer, meine Kinder
sind Waisen geworden. O Herr Tod, alle Welt klagt über
Euch und ich ebenso. Doch nie gab es einen so schlechten
Menschen, der nicht irgendwo gut gewesen wäre. Ratet,
helft und zeigt den Weg, wie ich ein so schweres Leid vom
Herzen entfernen könnte und meinen Kindern eine so reine
Mutter zu ersetzen wäre; sonst muß ich immer mißmutig
und müssen sie immer traurig bleiben. Und das braucht Ihr
mir nicht übelzunehmen, sehe ich doch, daß selbst unter
vernunftlosen Tieren ein Gatte um des andern Tod trauert
aus angeborenem Zwang. Hilfe, Rat und Wiedergutma-
chung seid Ihr mir schuldig, denn Ihr habt mir den Schaden
verursacht. Sollte das nicht geschehen, dann würde Gott in
seiner Allmacht überhaupt keine Rache üben. Gerächt muß
es werden und sollten dafür Hacke und Schaufel noch einmal bemüht werden.

DER TOD. Das 22. Kapitel

Ga, ga, ga, schnattert die Gans, man predige, was man wolle.
Ein solches Garn spinnst auch Du. Wir haben vorhin dar-
gelegt, daß nicht zu beklagen sein soll der Tod der Toten.

Seytem maln das wir ein zollner sein, dem alle menschen
zollen müssen,   wes widerstu dich? Wann werlich: wer   5
vns tewschen will, der tewschet sich selber. Laß dir ein-
geen vnde vernymm: das leben ist durch sterbens willenn geschaffen; were leben nicht, wyr weren nicht,
vnser geschefft wer nichts, domit wer auch nitt der welt
ordenung. Aintweder du bist sere leydig oder vnuer-   10
nunfft haust zu dir. Bistu vnuernunfftig, so bitt gott, vmb
vernunfft zu uerleihen; bistu aber leydig, so prich abe,
las faren. Nym das für dich, das ein wint ist der lewt
leben auff erden. Du bittest rat, wie du leyt auß dem
herczen bringen sollest. Aristotiles hat dich *es* vor-   15
ge[10ᵛᵇ]lart, das frewde, leyt, vorcht vnd hoffnung, die
vier, alle welt bekommern vnd jerlich die, die sich vor jn
nit konnen   huten. Frewde vnd vorcht kurczen, leyt
vnd hoffnung lengen die weil. Wer die vier nit gancz auß
dem mut treybet, der muß alle zeyt sorgende wesen.   20
Nach frewd trubsal, nach lieb leyt muß hie auff erden
kommen. Lieb vnd leyt mussent mit einander wesen.
Eines ende ist   anfang des andern. Leyt vnd lieb ist
nicht anders, dann wann icht ein mensch jn seinen synnen verfasset vnd das er *nit* außtreiben will, gleicher   25
weise als mit genugen niemant arm vnd mit vngenugen
niemant reich wesen mag, wann genugen vnd vngenugen nicht an hab noch außwendige sachen seint, sonnder
jn dem mut. Wer alle lieb *nit* auß dem herczen treyben
will, der muß gegenwertigs leyt all zeytt tragen. Treybe   30
auss *dem* herczen, *auß den* synnen vnde auß dem mut
liebes gedechtnüß, allzuhant wirdestu traurens vberhaben. Als bald du icht hast verloren vnde es nicht [11ʳᵃ]
kanst widerpringen, thu, als es dein nie sey worden; hin
fleucht allzuhant dein trauren. Wirdestu des nicht tun,   35
so hastu mer leydes vor dir. Dann nach jgliches kindes
tot widerfert dir herczeleyt, *nach deinem tod auch herczenleid* in allen, herczenleyt dir vnde jn, wann jr euch

Da wir nun einmal ein Zöllner sind, dem alle Menschen Zoll zahlen müssen, weshalb sträubst Du Dich? Wahrlich doch: wer uns täuschen will, der täuscht sich selber. Laß es Dir eingehen und versteh: Das Leben ist um des Sterbens willen geschaffen; wäre das Leben nicht, wir wären nicht, unser Geschäft wäre nichts, damit wäre auch nicht der Welt Ordnung. Entweder bist Du wirklich von Leid erfüllt oder Unvernunft haust bei Dir. Bist Du ohne Vernunft, so bitte Gott, Vernunft zu verleihen; bist Du aber von Leid erfüllt, so hör auf, laß gut sein. Halte Dir vor Augen, daß ein Hauch ist der Menschen Leben auf Erden. Du erbittest Rat, wie Du Leid aus dem Herzen bringen kannst. Aristoteles hat es Dich längst gelehrt, daß Freude, Leid, Angst und Hoffnung, diese vier, alle Welt bekümmern und besonders jene, die sich vor ihnen nicht zu hüten wissen. Freude und Angst verkürzen, Leid und Hoffnung dehnen die Zeit. Wer diese vier nicht ganz aus dem Gemüt vertreibt, der muß allezeit sorgenvoll sein. Nach Freude muß Trübsal, nach Glück Unglück hier auf Erden folgen. Glück und Unglück müssen beieinander sein. Des einen Ende ist des andern Anfang. Mit Unglück und Glück ist es nichts anderes, als wenn ein Mensch sich etwas in den Kopf setzt und davon nicht lassen will – wie ja auch mit Genügsamkeit niemand arm und mit Unersättlichkeit niemand reich sein kann, denn Genügsamkeit und Unersättlichkeit sind nicht im Besitz noch überhaupt äußerliche Dinge, sondern im Gemüt. Wer nicht alles Glück aus dem Herzen treiben will, der muß allgegenwärtiges Unglück allezeit ertragen. Treibe aus dem Herzen, aus dem Sinn und aus dem Gemüt die Erinnerung an das Glück, sogleich bist Du des Trauerns enthoben. Sobald Du etwas verloren hast und es nicht wiedergewinnen kannst, tu, als sei es Dir nie zuteil geworden; dahin fliegt im Handumdrehen Deine Trauer. Willst Du das nicht tun, so hast Du manches Unglück vor Dir. Denn nach eines jeden Kindes Tod widerfährt Dir Kummer, nach Deinem Tod auch Kummer ihnen allen, Kummer Dir und ihnen, wenn

scheiden solt. Du wilt, das sie der muter ergeczet werden? Kanstu vergangene jare, gesprochen wort vnd ver-   40
ruckten magtum widerbringen, so widerbringestu die
muter deiner kinde. Jch han dir genug geraten. Kanstu es
versten, stumpffer pickel?

Des Ackermanns widerrede.
Cappittulum vicesimum tercium.

Jn die leng wirt man gewar der warheit. Als lang gelernet, etwas gekündet. Ewere spruch seint süß vnd lustig, des ich nu etwas empfinde. Doch solt frewde,
lieb,   wünne vnde kurczweyl auß der welte vertryben
werden, vbel wurde sten die welt. Des wil ich mich   5
ziehen an die Romer. Die haben es selbs getan vnde habent das jre kinder gelernet, das sie lieb jn eren haben,
turnyren, stechen, tanczen, wettlauffen, springen [11rb]
vnd   zuchtige hubscheit treiben solten bey mussiger
weil, auff die rede, das sie die weil boßheyt weren vber-   10
haben. Wanne menschlichs muts synne kan nit mussig
wesen. Eintweder gut oder boß muß allwegen der syn
würckenn; jn dem slaff will er nit mussig sein. Wurde
denn deme synn gute gedencke benomen, so wurden
jme bose eingen. Gut auß, poß ein, boß auß, gut ein: die   15
wechslung muß bis an das ende der welte weren. Syder
frewde, zewcht, scham vnd ander hubscheyt seint auß
der welt vertryben, syder ist sie boßheit, schanden,
vntrew, gespotte vnde verreterey zumal vol worden; das
sehent jr teglichen. Sollt ich dann die gedechtnüß mey-   20
ner allerliebsten auß dem synne treiben, boß gedechtnüß
wurden mir jn den syn widerkomen. Als mer will ich
meyner allerliebsten allwegen gedencken. Wann grosse
herczelieb jn grosses herczenleydt wirt verwandelt, wer
kann das balde vergessen? Boß lewt tun selb. Gut   25
freunde stet gedencken an einander. Ferre wege, [11va]

Ihr Euch trennen müßt. Du willst, daß ihnen die Mutter ersetzt werde? Kannst Du vergangene Jahre, gesprochene Worte und verlorene Jungfräulichkeit wiedergewinnen, so gewinnst Du auch die Mutter Deiner Kinder wieder. Ich habe Dir genug geraten. Kannst Du es verstehen, stumpfer Pickel?

DER ACKERMANN. Das 23. Kapitel

Auf die Länge wird man der Wahrheit gewahr. So lange gelehrt, ein wenig schließlich verkündet. Eure Sprüche sind nett und witzig, was ich nun durchaus empfinde. Doch sollten Freude, Glück, Lust und Kurzweil aus der Welt vertrieben werden, öde dastehen würde die Welt. Dafür will ich mich an die Römer halten. Die haben es selbst geübt und haben es ihren Nachkommen vermittelt, daß sie Glück hochschätzen, turnieren, stechen, tanzen, wettlaufen, springen und anständige Vergnügungen pflegen sollten in müßiger Stunde, auf daß sie derweil von allem Schlechten befreit wären. Denn die menschliche Vorstellungskraft kann nicht untätig sein. Entweder Gutes oder Schlechtes muß die Vorstellung allezeit hervorbringen; selbst im Schlaf kann sie nicht untätig sein. Würden nun der Vorstellung gute Gedanken genommen, so würden sich schlechte in ihr einnisten. Gute aus, schlechte ein, schlechte aus, gute ein: Dieses Wechselspiel muß bis ans Ende der Welt währen. Seitdem Freude, Anstand, Scham und andere gute Sitten aus der Welt vertrieben sind, seitdem ist sie von Bosheit, Schande, Untreue, Spott und Verrat übervoll geworden; das seht Ihr täglich. Sollte ich nun die Erinnerung an meine Allerliebste mir aus dem Sinn schlagen, schlechte Erinnerung würde mir in den Sinn zurückkommen. Um so eher will ich meiner Allerliebsten ständig gedenken. Wenn große Liebe in großen Kummer verwandelt wird, wer mag das schnell vergessen? Schlechte Leute tun das. Gute Freunde denken stets

lange jare scheyden nit liebe freunde. Ist sie mir leiplichen tot, in meyner gedechtnüß lept sie mir doch ymmer. Herre Tot, jr müst trewlicher raten, sol ewer rat icht nücz bringen, anders jr fledermauß must als vor der   30
vogel veintschafft tragen.

Des Todes widerrede.
Cappittulum vicesimum quartum.

Liebe nicht allzu lieb, leyd nicht alzu leyde soll vmb gewyn vnd vmb verlust weisen mann wesen. Des thustu nit. Wer vmb rate bittet vnd rates nicht volgen wil, dem ist auch nit zu raten. *Vnser gütlich rate kan an dir nit* ge-   5
schaffen. Es sey dir nu lieb oder layd, wir wollen dir die warheitt an die sonnen legen, es hore, wer do wölle. Dein kurcze vernunfft, dein abgesnitten synne, dein holes hercz wollen auß lewten me machen, wann gewesen mügen. Du machst auß einem menschen, was du wilt, es mag nit mer sein, dann als ich dir sagen will mit   10
vrlaub aller reynen frawen. Ein mensch wirt jn sünden empfangen, mit vnreynem, vngenantem vnflat jn müterlichem leybe generet, nacket geboren vnd ist *ein* besmy[11vb]ret binstock, ein ganczer vnflat, ein vnreyner lust, ein katfaß, ein vnreyne speyß, eyn stanckhauß,   15
ein vnlustiger spulzuber, ein faules aß, ein schymmelkast, ein bodenloser sack, ein lochereten taschen, ein blaßbalck, ein geycziger slunt, ein stinckender leymdigel, ein vbelrichender harmkruck, ein vbelsmeckender eimer, ein betrygender totenschein, ein leymen rauphauß, ein vnsatick leschkrug vnd gemalte betrubnüß.   20
Es merck, wer do wölle: ein jgliches ganczgewurck*tes* mensche hat newn löcher in seynen leip, auß den allen fleusset so vnlustiger vnd vnreyner vnflat, das nicht vnreyners gewesen mag. So schones mensche gesahestu nie, hetestu eines linczen augen vnde kondest es   25

aneinander. Weite Wege, lange Jahre scheiden nicht enge
Freunde. Ist mir ihr Körper auch tot, in meiner Erinnerung
lebt sie mir doch immer. Herr Tod, Ihr müßt aufrichtiger
raten, soll Euer Rat einen Nutzen bringen; andernfalls müßt
Ihr Fledermaus wie bisher der Vögel Feindschaft ertragen.

DER TOD. Das 24. Kapitel

Dem weisen Mann soll Liebe nicht allzu lieb, Leid nicht
allzu leid bei Gewinn und bei Verlust sein. Daran hältst Du
Dich nicht. Wer um Rat bittet, aber dem Rat nicht folgen
will, dem ist auch nicht zu raten. Unser gutgemeinter Rat
kann bei Dir nichts fruchten. Es sei Dir nun lieb oder leid,
wir wollen Dir die Wahrheit ans Licht bringen, es höre, wer
da wolle. Deine beschränkte Vernunft, Dein gestörter Sinn,
Dein hohles Herz wollen aus Leuten mehr machen, als sie
sein können. Du magst aus einem Menschenkind machen,
was Du willst, es kann doch nicht mehr sein, als was ich Dir
sagen werde, mit Erlaubnis aller reinen Frauen. Ein Menschenkind wird in Sünde empfangen, mit unreinem, unsäg-
lichem Unflat im Mutterleib genährt, nackt geboren und
ist ein beschmierter Bienenstock, ein ausgemachtes Dreck-
stück, ein schmutziges Triebwesen, ein Kotfaß, eine ver-
dorbene Speise, ein Stinkhaus, ein ekliger Spülzuber, ein
fauliges Aas, ein Schimmelkasten, ein bodenloser Sack, eine
löchrige Tasche, ein Blasebalg, ein Gierschlund, ein stinken-
der Lehmtiegel, ein übelriechender Harnkrug, ein übel-
duftender Eimer, eine trügerische Totenlarve, eine leh-
mige Räuberhöhle, ein unersättlicher Löschkrug und ge-
schminkte Trübsal. Es höre, wer da wolle: Ein jedes fertige
Menschenkind hat neun Löcher in seinem Leib, aus denen
allen tritt so ekliger und dreckiger Unflat, daß es nichts
Schmutzigeres geben kann. Ein so schönes Menschenkind
sahst Du nie, daß Dir nicht, hättest Du Luchsaugen und

jnnwendig durchsehen, dir wurd darvber grauwen. Be-
nym vnd zewhe abe der schonen frauwen des sneyders
varbe, so sihestu ein schemliche tocken, ein schirswel-
chende plumen vnd kurcztaurende scheyn vnd einen   30
baldvallenden erdenknoll. Weyse mir ein hantvoll schon
aller schonen frau[12ra]wen, die vor hundert jaren haben
gelebt, außgenommen der gemalten an der wende, vnde
habe dir des keysers kron zu eigen. Las hinfliessen lieb,
la hinfliessen leyt, las rynnen den Rein als ander wasser, 35
esel, dorffweyser gotlinck!

Des Ackermans widerrede.
Cappittulum vicesimum quintum.

Pfey euch, boser schadensack! Wie vernichtent, vbelhan-
delt *vnd* vneret jr den werden menschen, gottes allerliebste creatuer, domit jr auch die gotheyt swechent.
Allererst bruff ich, das jr lugenhafft seytt vnde jn dem
paradeyß nicht getirmet, als jr sprecht. Werdt jr jn dem   5
paradeyß geuallen, so west jr,　das gott den menschen
vnde alle ding geschaffen hat, sie allzumal gut beschaffen
hat, den *menschen* vber sie alle gesaczt hat, jm jr aller
herschafft beuolhen vnd jm　seynen fussen vntertenig
gemacht hat, also das der mensche den tieren des erterei- 10
ches, den vogel des hymmels, den vischen des meres
vnde allen fruchten der erden herschen [12rb]solte, als er
auch tut. Solte dann der mensch so snode, boß vnde
vnrein sein, als jr sprechent, werlich so hett gott gar
vnreinigclychen vnd gar vnnuczlichen gewürcket. Solt 15
gottes almechtige, wirdige hant so ein vnreynes vnd
vnfletigs menschewercke haben gewürckt, als jr schrey-
bent, strefflich vn*d* gemeyligter würcker were er. So
stund auch das nicht, das gott alle ding vnd den menschen vber sie zumal gut hett beschaffen. Herr Tott, lat 20
ewer vnnucz claffen! Jr schendent gottes allerhubschstes

könntest sein Inneres durchdringen, darüber grausen würde. Nimm weg und zieh ab einer schönen Frau den Schneiderglanz, so siehst Du eine jämmerliche Puppe, eine rasch welkende Blume, ein kurz währendes Trugbild und einen bald zerfallenden Erdklumpen. Zeige mir eine Handvoll Schönheit bei all den schönen Frauen, die vor hundert Jahren gelebt haben, ausgenommen die gemalten an den Wänden, und Dir gebühre des Kaisers Krone dafür. Laß hingehen Glück, laß hingehen Unglück, laß fließen den Rhein wie andere Gewässer, Esel, bauernschlauer Götterknabe!

DER ACKERMANN. Das 25. Kapitel

Pfui, böser Giftsack! Wie verkleinert, mißhandelt und entwürdigt Ihr den edlen Menschen, Gottes allerliebste Kreatur, womit Ihr auch die Gottheit erniedrigt! Jetzt erst muß ich feststellen, daß Ihr ein Lügner seid und im Paradies nicht eingesetzt, wie Ihr behauptet. Wäret Ihr im Paradies ins Dasein gefallen, so wüßtet Ihr, daß Gott den Menschen und alle Dinge erschaffen hat, sie vollkommen erschaffen hat, den Menschen über sie alle gesetzt hat, ihm die Herrschaft über sie alle aufgetragen und sie seinen Füßen unterworfen hat – auf daß der Mensch die Tiere des Landes, die Vögel des Himmels, die Fische des Meeres und alle Früchte der Erde beherrschen sollte, wie er es auch tut. Sollte demnach der Mensch so erbärmlich, arg und schmutzig sein, wie Ihr behauptet, fürwahr, so hätte Gott ein gar unsauberes und unnützes Werk vollbracht. Sollte Gottes allmächtige, edle Hand ein so unsauberes und unflätiges Menschenstück geschaffen haben, wie Ihr angebt, ein tadelnswerter und unvollkommener Schöpfer wäre er. Dann träfe auch nicht zu, daß Gott alle Dinge und den Menschen über ihnen rundum gut erschaffen hätte. Herr Tod, laßt Euer unnützes Geschwätz! Ihr schmäht Gottes allerfeinstes Werk. Engel, Teu-

werck. Engel, tewfel, schrettlein, clagmüter, das seint
geist jn gottes zwang wesen. Der mensch ist das aller-
achtberste, das allerbehendest vnd das allerfreyest gottes
werckstück. Jm selber gleich hat es gott gepildet, als er 25
auch selber jn der ersten würckung der welte hat gesprochen. Wo hat ye werckman gewürcket so behendes,   reiches würckensstücke, einen so werckberlychen
cleynen cloß als eines menschen haupt? Jn dem ist kün-
stereich alle*n* gottern ver[12ᵛᵃ]borgene abentewer. Do ist 30
jn des augen apffel das gesicht, das allergewist zewge,
meysterlichen jn spygels weyse verworcket; bis an das
hymmelsclare würcket es. Da ist in den oren das *ferre*
würckende gehören, gar durchmechtigclichen mit einem
dunnen fell vergittert, zu prufung vnde vnterscheyt 35
mancherley süsses gedones. Do ist jn der nasen der ruch,
durch zwey locher ein vnde auß   geende, gar synnigclichen verzymmert zu beheglycher senfftigkeyt alles
lustsames vnde wünnsames riechens; das ist nar der sele.
Do seynt jn dem munde zen, alles leipfuters teglichs ma- 40
lende einsacker; darzu der zungen dünnes blat den lewten zu wissen bringet gancz der lewt meynung; auch ist
do des smackes allerley kost lustsame prufung. Do bey
sint jn dem kopff auss herczen grunde geende synne,
mit den ein mensch, wie *ferre* er will, gar snell reicht. Jn 45
die gotheyt vnd darvber gar cley*met* der mensch mit den
synnen. Allein der mensche [12ᵛᵇ] ist empfahende der
vernunfft, des edel hardes. E*r* ist allein der *lieplich* kloß,
dem gleyche*n* niemant wann gott gewürcken kan,
darjnn als behende werck, alle kunst vnd meysterschafft 50
mit weyßheyt seint gewürcket. Lat faren, herr Tot, jr
seyt des menschen veint, darvmb jr kein gutes von jn
sprechent.

fel, Kobolde, Klagemütter, das sind Geister in Gottes Zwangsherrschaft. Der Mensch ist das allerachtbarste, das allergeschickteste und das allerfreieste Werkstück Gottes. Sich selber gleich hat Gott es gebildet, wie er auch selbst am Anfang der Schöpfung gesprochen hat. Wo hat je ein Werkmeister ein so geschicktes, vielfältiges Werkstück, eine so kunstfertige kleine Kugel geschaffen wie des Menschen Haupt? In dem befindet sich Außerordentliches, kunstvoll allen Göttern verborgen. Da ist im Augapfel der Gesichtssinn, der zuverlässigste Zeuge, meisterlich nach Art eines Spiegels gebildet; bis zum klaren Himmel dringt er. Da ist in den Ohren das weit reichende Gehör, unübertrefflich mit einem dünnen Häutchen überzogen, zur Prüfung und Unterscheidung manch süßen Getöns. Da ist in der Nase der Geruch, durch zwei Löcher ein- und ausgehend, sehr sinnig eingerichtet zu wohltuendem Genuß allen freud- und lustvollen Riechens; das ist eine Nahrung der Seele. Da sind im Mund Zähne, alle Leibesnahrung täglich zermahlende Einsacker; dazu der Zunge dünnes Blatt, es macht den Leuten vollständig bekannt der Leute Meinung; auch ist da des Geschmacks genießerische Prüfung von allerlei Speisen. Dabei sind im Kopf aus Herzensgrund kommende Gedanken, durch die ein Mensch, so weit er will, schnellstens gelangt. Zum Göttlichen und darüber hinaus gar hangelt sich der Mensch mit seinen Gedanken. Allein der Mensch ist Träger der Vernunft, dieses edlen Schatzes. Er allein ist ein vollkommenes Stück, wie es niemand außer Gott schaffen kann, in dem so geschickte Leistungen, alle Fähigkeiten und Fertigkeiten mit Weisheit ins Werk gesetzt sind. Gebt es auf, Herr Tod, Ihr seid des Menschen Feind, darum laßt Ihr kein gutes Haar an ihm.

Des Todes widerrede.
Cappittulum vicesimum sextum.

Schelten, fluchen, wunschen, wie vil der jst, konnen key-
nen sack, wie clein der ist, gefollen. Darzu: wider vilredende lewt ist nit zu kriegen mit worten. Es gee nur für
sich mit deiner meynung, das ein mensche aller kunst,
hubscheyt vnde wirdigkeyt vol sey, dannocht muß es in   5
vnnser necze vallen, mit vnnßerm garne muß es gezu-
cket werden. Gramatica, gruntuest aller guten rede, hilffet do nit mit jren scharpffen vnde wolgegerbten worten. Rethorica, blüender grunt der liebkosung, hilfft
do nit mit jren bluenden vnd reingeferbten reden.   10
Loyca, der warheyt vnd vnwarheyt fürsichtige ent-
schei[13ʳᵃ]derjnn, hilffet do nit mit jrem verdackten
verslahen, mit der warheyt verleytung krümerey. Geometria, der erden brüferin, schaczerjnn vnd messerin,
hilfft do nicht mit jrer vnfelender maß, mit jrem rechten   15
abgewicht. Arismetrica, der zal behende außrichterin,
hilffet do nicht mit jr rechnung, mit jrer rayttung, mit
jren behenden zifferen. Astronomia, des gestyrnes mey-
sterynn, hilffet do nicht mit jren sterngewalt, mit einfluß der ploneten. Musyca, des gesanges vnde der   20
stymm geordente hantreicherin, hilffet do nit mit jrem
sussen gedone, mit jren feynen stymmen. Philosophia,
acker der weyßheyt, jn zwirch vnd jn natuerlicher erkentnüß vnde jn guter syttenn würckung geackert vnde
geseet vnde volkomenlich gewachssen; Phisica, mit jren   25
mancherley stewrenden trencken; Geomancia, mit der
saczung der ploneten vnd des hymmels reysens zeychen
auff erden allerley frag behend verantworteryn; Py-
romancia, slewnige vnd warhafftige warsagens fewerwurckerin; [13ʳᵇ] Ydromancia, jn wassergewürcke der   30
zukunfftigkeyt entwerfferinn; Astrologia, mit oberlendischer sachen des jrdischen kauffes aussegerynn;
Ciromancia, nach hend vnd nach des teners krewsen

DER TOD. Das 26. Kapitel

Schelten, Fluchen, Verwünschen, wie viel auch immer, können keinen Sack, wie klein auch immer, vollmachen. Überdies: gegen Vielredner ist nicht anzukommen mit Worten. Es mag ruhig bleiben bei Deiner Meinung, daß ein Menschenkind vor lauter Fähigkeit, Schönheit und Würde überfließe, dennoch muß es in unser Netz fallen, mit unserm Garn muß es umstrickt werden. Grammatica, Grundstein aller guten Rede, hilft da nichts mit ihren schneidend genauen und wohlgesetzten Worten. Rhetorica, blühender Grund der Schmeichelei, hilft da nichts mit ihren geblümten und sauber kolorierten Reden. Logica, der Wahrheit und Unwahrheit raffinierte Schiedsrichterin, hilft da nichts mit ihrer unterschwelligen Verdrehung, mit der Wahrheit Umleitung und Verbiegung. Geometria, der Erde Bestimmerin, Berechnerin und Vermesserin, hilft da nichts mit ihren unfehlbaren Maßen, mit ihrem genauen Senkblei. Arithmetica, der Zahlen geschickte Ordnerin, hilft da nichts mit ihrer Rechnung, mit ihrer Zählung, mit ihren geschickten Ziffern. Astronomia, des Gestirns Meisterin, hilft da nichts mit ihren Sternenkräften, mit dem Einfluß der Planeten. Musica, des Gesangs und der Stimme ordinierte Dienerin, hilft da nichts mit ihrem süßen Getön, mit ihren feinen Stimmen. Philosophia, Acker der Weisheit, zweifach, sowohl zur Naturerkenntnis wie zur Beförderung guter Sitten gepflügt, besät und zur Reife gewachsen; Physica, mit ihren vielerlei bewirkenden Tränken; Geomantia, mit Hilfe der auf Erden möglichen Anordnung der Planeten und der Zeichen der Himmelsbewegung allerlei Fragen geschickte Beantworterin; Pyromantia, schnelle und wahrhaftige Feuerwerkerin des Wahrsagens; Hydromantia, aus der Wasserbewegung der Zukunft Entwerferin; Astrologia, mit Überirdischem des irdischen Treibens Auslegerin; Chiromantia, aus Händen und aus der Handfläche Linien treff-

hubsch warsagerjnn; Nigromancia, mit dotenopffer, fin-
gerlein vnd mit sigel der geist gewaltige *zwingerin;*   35
*Alchimia mit der metalle selczame ver*wandlung; Notenkunst, mit jren süssen gebetten, mit jren starcken
besweren; Augur, der vogelkoß vernemer vnd darauß
*zu*künf*t*iger sachen warhaffter zusager; Aruspex, noch
alteropfers rauch jn czukunf*t* tuende außricht*ung;* Pedo-   40
mancia, mit kinder gediryme, vnd Ornamancia, mit
*aurhe*nne *der*m*e* luplerin; Jurist, der gewissenloß
cryst, hilfft do nit mit rechts vnd vnrechts vorsprechung
vnde mit seynen krummen   vrteyln. Die vnd andern
die vorgeschriben anhangend kunst helffen zumale   45
nichts. Yeder mensche muß ie von vns vmbgesturczt, jn
vnserm walcktrock gewalcken vnd jn vnserm rollfaß
gefeget werden. Das glawbe, du vppiger gewknecht!

[13va] Des Ackermanns widerrede.
Cappittulum vicesimum *septimum.*

Man soll nit vbel mit vbel rechen, gedultig soll ein man
wesen, gepiet*en* der tugend lere. Den pfad will ich
nachtretten, ob jr leicht noch nach vndult geduld*ig* werdet. Jch vernym an ewer rede, jr meint, jr ratent mir gar
trewlich. Wonet trew bey euch, so ratent mir mit trewen   5
jn geswornes eydes weyse: jn was wesens soll ich nu
mein leben richten? Jch bin vormaln jn der lieben, lustigen ee gewesen. Warzu soll ich mich nu wenden? Jn
weltlich oder geysthlich ordenung? Die seint mir beyde
offen. Jch nam für mich jn dem synne allerley lewt we-   10
sen, schacze vnd wuge sie mit fleyss: vnuolkommen,
bruchig vnde etwe vil mit sünden *v*ant ich sie all. Jn
zweifel bin ich, wo ich hin keren soll. Mit gebrechen ist
bekommert aller lewt anstal. Herr Tot, rat, rats ist not!
Jn meynem synne vinde, wene vnd glawb ich für war,   15

liche Wahrsagerin; Nigromantia, mit Totenopfern, Ringen
und mit Siegeln der Geister gewaltige Beherrscherin; Alchimia, mit der Metalle eigentümlicher Verwandlung; Notoria,
mit ihren süßen Gebeten, mit ihren starken Beschwörun-
gen; Augur, der der Vogelsprache Kundige und aus ihr Zu-
künftiges sicher Vorhersagende; Haruspex, die nach dem
Rauch des Altaropfers auf die Zukunft gerichtete Bestim-
mung; Pedomantia, die mit Kindergedärmen, und Orno-
mantia, die mit Auerhennengedärmen Zaubernde; Jurist,
der gewissenlose Christ, hilft da nichts mit des Rechts und
Unrechts Versprechung und mit seinen verdrehten Urteilen. Diese und andere, an die aufgeführten anschließende
Künste helfen allesamt nichts. Jedes Menschenkind muß einmal von uns niedergeworfen, in unserem Walktrog gewalkt
und in unserer Waschtrommel gereinigt werden. Das glaube
nur, Du eingebildeter Ackerknecht!

DER ACKERMANN. Das 27. Kapitel

Man soll nicht Böses mit Bösem vergelten, geduldig soll der
Mann sein, so schreiben es die Tugendlehren vor. Diesem
Pfad will ich nachlaufen, vielleicht daß Ihr ja doch nach der
Unduldsamkeit duldsam werdet. Ich entnehme Eurer Rede:
Ihr meint, Ihr ratet mir gar redlich. Wohnt Redlichkeit bei
Euch, so ratet mir redlich wie unter Eid: In welchem Stand
soll ich nun mein Leben einrichten? Ich habe früher in der
glücklichen, heiteren Ehe gelebt. Wohin soll ich mich jetzt
wenden? Zum weltlichen oder geistlichen Stand? Die stehen
mir beide offen. Ich stellte mir im Geiste Lebensformen vor
von allerlei Leuten, prüfte und beurteilte sie sorgfältig: Un-
vollkommen, gebrechlich und ziemlich sündhaft fand ich sie
alle. Im Zweifel bin ich, wo ich mich hinwenden soll. Mit
Mängeln behaftet ist alles, was die Leute anstellen. Herr
Tod, ratet, Rat ist nötig! In meiner Vorstellung finde, wähne

das nie so reines, gotliches *n*est vnd wesen kum nymmermer bey der sele. Jch sprich, weste [13ᵛᵇ] ich, das mir
jn der ee glyngen sollt als ee, jn der wolte ich leben, die
weil leben were meyn leben. Wunnsam, lustsam, fro
vnde wolgemut jst ein man, der ein byderbs weip hat, er   20
wander, wo er wander. Einen yeden sollichen man ist
auch liep nach narung zu stellen vnd zu trachten; jm ist
auch liep eren mit ere, trew mit trewen, gut mit gut wi-
dergelten. Er bedarff jr nit hüten, wann sie ist die beste
hut, die jr ein frumes weip selber tut. Wer seynem weyb   25
nicht glawben vnd trewen will, der muß stecken jn ste-
ten sorgen. Herre von obernlanden, fürst von vil selden,
wol jm, *d*en du mitt reynen betgenossen begabest! Er
sollt den hymmel ansehen, dir mit auffgerackten henden
dancken alle tage. Thu*t* das beste, herre Tot, vermugen-   30
der herre!

Widerred des Todes.
Vicesimum octauum cappittulum.

Loben an ende, schenden an zile, was sie für*fassen*, pflegen etliche lewte. Bey loben vnd bey schenden soll fug
vnde maß sein, [14ʳᵃ] ob man jr eines bedorff, das man
sein stat habe. Du lobest sunder maß elich leben; yedoch
wollen wir sagen von elichem leben, vngeruret aller rei-   5
nen frawen. Als balde ein man ein weip nympt, als balde
ist er selbander jn vnser gefengnüß. Zuhantt hat er eynen hantslag, einen anha*n*g, einen hantslieten, ein joch,
ein kumat, ein pürde, einen sweren last, ein fegtewfel,
ein tegliche   ros*t*feyln, der er mit recht nit enberen   10
mag, die weil wir mit jm nicht thun vnser genade. Ein
beweipter man hat donder, schauwer, fuchß, slangen alle
tag jn seinem hause. Ein weip stellet darnach alle tag, das

und glaube ich fürwahr, daß ein so reines, gesegnetes Heim
und Dasein niemals mehr unterkommen wird der Seele. Ich
sage: Wüßte ich, daß mir eine Ehe glückte wie ehedem, in
ihr wollte ich leben, solange ein Leben mein Leben wäre.
Glücklich, vergnügt, froh und gutgelaunt ist ein Mann, der
eine ehrbare Frau hat, er sei, wo er sei. Einem jeden solchen
Mann ist es auch lieb, sich um den Lebensunterhalt zu mühen und zu kümmern; ihm ist es auch lieb, Ehre mit Ehre,
Treue mit Treue, Gutes mit Gutem zu vergelten. Er braucht
seine Frau nicht zu hüten, denn jene Obhut ist die beste, die
eine brave Frau sich selber auferlegt. Wer seiner Frau nicht
glauben und trauen will, der muß in ständiger Sorge sein.
Herr von überirdischen Landen, Fürst von vielen Residenzen, wohl dem, den du mit einem reinen Bettgefährten be-
schenkst! Er sollte zum Himmel aufblicken, Dir mit erho-
benen Händen danken alle Tage. Tut Euer Bestes, Herr Tod,
vielvermögender Herr!

DER TOD. Das 28. Kapitel

Zu loben ohne Ende, zu schmähen ohne Ziel, was sie sich
vornehmen, pflegen zahlreiche Leute. Beim Loben und
beim Schmähen soll Fug und Maß sein, daß man, wenn man
eines von ihnen braucht, es auch zur Verfügung habe. Du
lobst über die Maßen das eheliche Leben; doch wollen wir
Dir berichten vom ehelichen Leben, unbeschadet aller reinen Frauen. Sobald ein Mann ein Weib nimmt, sogleich ist
er mit seiner andern Hälfte in unserer Gefangenschaft. Im
Handumdrehen hat er ein Handeisen, eine Klette, einen
Zugschlitten, ein Joch, ein Geschirr, eine Bürde, eine
schwere Last, einen Putzteufel, eine tägliche Nervensäge,
die er rechtmäßig nicht wieder loswerden kann, solange wir
ihm nicht unsere Gnade erweisen. Ein beweibter Mann hat
Donner, Hagel, Füchse, Schlangen alle Tage in seinem
Haus. Ein Weib trachtet alle Tage danach, daß sie Mann

sie man werde. Zewcht er auff, so zeucht sie nider, will
er so, sie will sunst, wil *er* dohin, so will sie dorthin.
Sollichs spyles wirt er sat vnd sigloß all*e* tag*e*. Triegen,   15
listen, smaichen, spynnen, liebkosen, widerpurren, la-
chen, weinen kan sie wol jn einem augenplick; angepo-
ren ist es sie. Siech zu arbeyt, gesunt zu   wulust, darzu
zam vnd wilde ist sie, wan sie des bedarff. Vmb were-   20
wort [14ʳᵇ] finden bedarff sie keines ratmannes. Gebot-
tene ding nicht *thuen, verbotene ding* tun fleysset sie
sich alle zeytt. Das ist jr zu süsse, das ist jr zu sawer, das
ist zu vil, das ist zu wenig, nu ist es zu fru, nun ist es zu
spat – also wirt es alles gestraffet. Wirt dann icht gelobet,   25
das muß mit schanden jn einem trechsselstule ge*dreet*
werden; dannoch wirt das leben dicke mit gespott gemi-
schet werden. Ein man, *der* jn der ee lebt, kan kein mittel auffhaben: ist er zu gütig, ist er zu scharpfe, an jn
beyden wirt er mit schaden gestraffet. Er sey nur halb   30
gütigscharpff, dannoch ist do kein mittel, schedlichen
oder *str*efflich wirt es hie. All tage new anmutung oder
kewffen, alle wochen fremde auffsazung oder muffeln,
allen monat newen vnlustigen vnflat oder grawe, alle jare newes cleyd*en* oder teglichs straffen muß ein geweib-   35
ter man haben, er gewynn es, wo er wolle. Der nach*t* ge-
prechen sey aller vergessen; von alters wegen schemen
wir vns. Schonten wir nicht der *biderben* frawwen, von
den vnbiderben konden wir vil mer singen vnd [14ᵛᵃ] sa-
gen. *Wisse*, was du lobest: du kennest nit golt bey bley!   40

Des Ackermanns widerrede.
Cappittulum vicesimum nonum.

Frawenschender müssen geschendt werden, sprechen
der warheyt meyster. Wie geschicht euch dann, herre
Todt? Ewer vnuernunfftiges frawenschenden, wie wol

werde. Zieht er rauf, so zieht sie runter, will er so, will sie anders, will er dahin, so will sie dorthin. Eines solchen Spiels wird er überdrüssig und verliert es alle Tage. Trügen, täuschen, schmeicheln, umgarnen, liebkosen, zurückbellen, lachen, weinen kann sie mühelos in einem Augenblick; angeboren ist es ihr. Krank bei der Arbeit, gesund beim Vergnügen, dazu zahm und wild ist sie, wann sie dessen bedarf. Um Ausreden zu finden, braucht sie keinen Ratgeber. Gebotene Dinge nicht zu tun, verbotene Dinge zu tun befleißigt sie sich allezeit. Das ist ihr zu süß, das ist ihr zu sauer, das ist zuviel, das ist zuwenig, bald ist es zu früh, bald ist es zu spät – auf diese Weise wird alles in den Dreck gezogen. Wird dann doch etwas gelobt, so muß es mit Tadel in einer Drechselbank gedreht werden; auch dann noch wird das Leben oft genug mit Hohn durchsetzt sein. Ein Mann, der in der Ehe lebt, kann keinen Mittelweg finden: Ist er zu gutmütig, ist er zu streng, immer trägt er den Schaden davon. Sei er nur halb gutmütig und halb streng, so gibt es auch da kein Mittleres, zum Schaden oder zur Strafe gereicht es doch. Jeden Tag eine neue Zumutung oder Keifen, jede Woche eine befremdliche Verordnung oder Muffeln, jeden Monat eine neue unerfreuliche Verunreinigung oder Vergraulen, jedes Jahr neue Kleider oder tägliches Gezänke muß ein beweibter Mann ertragen, er stelle es an, wie er wolle. Woran es nachts fehlt, sei alles übergangen; aus Altersgründen schämen wir uns. Wollten wir nicht die anständigen Frauen schonen, von den unanständigen könnten wir noch viel mehr zum besten geben. Bedenke, was Du lobst: Du kannst nicht Gold von Blei unterscheiden!

DER ACKERMANN. Das 29. Kapitel

Frauenschmäher müssen geschmäht werden, sagen der Wahrheit Meister. Wie ergeht es Euch dann, Herr Tod? Euer unverständiges Frauenschmähen – auch wenn es mit

es mit frauwen vrlaub ist, doch ist es werlichen euch
schentlich vnde den frauwen schemlich. Jn manigs weisen meysters geschrifft vindet man, das an weybes
stewer niemant mag mit selden gestewert werden, wann
weibes vnd kinder habe ist nit das mynste teyl der jrdischen selden. Mit sollicher warheyt hat den trostlichen
Romer Boecium hin gelegt Philosophia, die weise mey-
sterjnn. Ein yeder abentewrlicher vnd synnig man ist
mir des zewg: kein manzewcht *kan wesen, sie sei dann
gemeistert mit frauwenzucht.* Es sag, wer es wolle: ein
züchtiges, schones, kewsches vnd an eren vnuerrucktes
weypp ist vor aller jrdischer augelwayde. So menlich
man gesach ich nie, der rechte mutyg wurde, er wurde
dann mit frauwen trost ge*stewret.* [14ᵛᵇ] Wo der guten
samnung ist, do sicht man es alle tage: auff allen plonen,
auff allen hofen, jn allen turnyren, jn allen herfärten
thun die frauwen ye das beste. Wer jn frawen dinsten ist,
der muß sich aller missetat anen.　　Recht zucht vnd ere
lernen die werden jn jrer schule. Jrdischer frewden seint
gewaltig die frauwen; sie *schaffen,* das jn zu eren geschiht alle hubscheyt vnde kurczweyl auff der erden. Einer reynen frauwen fingerdroen straffet vnd zuchtiget
für alle waffen einen fru*m*en man. An liebkosen mit
kurczer rede: aller welt auffhaltung, vestung vnd merung seint die werden frauwen. Ydoch bey golde　　bley,
bey weycz ratten, bey allerley muncz beyslege vnd bey
weybe vnweibe müssen wesen. Dannoch die guten sollen der bosen nit engelten. Das glawbent, hawptman
von brige!

der Frauen Erlaubnis geschieht, ist es doch wahrlich schändlich für Euch und schmachvoll für die Frauen. In manches weisen Meisters Schrift liest man, daß ohne weibliche Lenkung niemand mit Glück durchs Leben gehen kann, denn der Besitz von Weib und Kind ist nicht der geringste Teil des irdischen Glücks. Mit einer solchen Wahrheit hat den trostreichen Römer Boethius Philosophia, die weise Meisterin, zur Ruhe gebracht. Ein jeder erfahrene und verständige Mann wird es mir bezeugen: Keine männliche Tugend kann bestehen, sie werde denn bestimmt durch weibliche Tugend. Man sage, was man wolle: Eine anständige, schöne, schamhafte und in ihrer Ehre untadelige Frau erfreut das Auge mehr als alles andere auf Erden. Einen so mannhaften Mann sah ich nie, der nicht vor allem dadurch Mut geschöpft hätte, daß er durch der Frauen Zuspruch geleitet wurde. Wo die Tüchtigen zusammenkommen, da sieht man es alle Tage: Auf allen Plätzen, an allen Höfen, bei allen Turnieren, bei allen Heerfahrten vollbringen die Frauen immer das Beste. Wer in der Frauen Dienst ist, der muß jeder Untat entsagen. Rechte Sittsamkeit und Ehrbarkeit lernen die Edlen in ihrer Schule. Irdisches Glück haben die Frauen in ihrer Gewalt; sie erreichen, daß ihnen zu Ehren alles Schöne und Angenehme auf Erden geschieht. Der drohende Zeigefinger einer reinen Frau ermahnt und erzieht mehr als alle Waffen einen tüchtigen Mann. Kurzum, ohne Schmeichelei: der ganzen Welt Erhalt, Garantie und Zukunft sind die edlen Frauen. Gewiß, bei Gold Blei, bei Weizen Unkraut, bei allerlei Münzen Abschläge und bei Frauen Weibsbilder muß es geben. Doch die guten sollen nicht für die schlechten büßen. Das glaubt mir, Hauptmann von Schlacht!

Des Todes widerrede. Cappittulum tricesimum.

Einen kolben für einenn kloß goldes, ein kot für eynen
topasyon, ein kisling für einen rubin nympt ein [15ra]
narr. Die hew*scheu*werrn ein burg, die Tonaw das mere,
den meußaer eine*n* valcken nennet der tore. Also lobe-
stu der augen lust, der vrsachen schaczestu nit. Wann du   5
weist nicht, das alles, was jn der welte, jst eintweder begerung des fleysches oder begerung der augen oder
hochfart des lebens. Die begerung des fleysches zu wollust, d*ie* begerung der augen zu gutt oder zu habe, die
hohe des lebens zu ere seint geneyget. Das gut bringet   10
geyrung vnd geytigkeyt, *die wollust macht* vnkewscheit,
d*ie* ere bringet hochfart vnd rume. *Von* gut durstigkeyt
vnd vorcht, von wulust boßheyt vnde sünde, von ere
eyttelkeyt müssen ye kommen. Kondestu das vernemen,
du würdest eyttelkeyt jn aller welt finden. Vnde ge-   15
schehe dir dan*n* liebe oder leyt, das wurdestu dann gutlichen leiden, auch vns vngestraffet lassen. Aber als vil, als
ein esel leyern kan, als vil kanstu die warheyt vernemen.
Darvmb so sey wir so sere mit dir bekommert. Do wir
Pyram*um* den jüngling mit Tyspen der meyd, die beyde   20
ein sele vnd willen hetten, schieden, do wir konig Allexander aller welt her[15rb]schafft enteynigten, do wir
Paris von Troy vnde Helenam von Kryechen zurstorten,
do wurden wir nicht also sere als von dir gestraffet.
Vmb keyser Kareln, marggraff Wilhelm, Dietherich von   25
Pern, denn starcken Poppen vnd vmb den hurnyn Seyfrydt hab wir nit so vil müe gehapt. Aristotilem vnd
Auicennam clagen noch hewt vil lewte, dannoch sein
wir vngemüt. D*auid*, der gedultig, vnd Salomon, der
weyßheyt schrein, sturben, do wart vns me gedancket   30
dann gefluchet. Die vor waren, die seint all dohin; du
vnde alle, die nu seyntt oder noch werdent, müssent all
hinnach. Dannoch bleyb wir, Todt, hie *herre*!

DER TOD. Das 30. Kapitel

Einen Kolben für einen Klumpen Gold, einen Knöchel für
einen Topas, einen Kiesel für einen Rubin hält ein Narr.
Den Heuschober eine Burg, die Donau das Meer, den Mäu-
sebussard einen Falken nennt der Tor. Genau so lobst Du
der Augen Lust, die Ursachen dafür bedenkst Du nicht.
Denn Du weißt nicht, daß alles auf der Welt entweder Gier
des Fleisches oder Gier der Augen oder Übermut des Lebens ist. Die Gier des Fleisches ist auf Wollust, die Gier der
Augen auf Besitz, der Übermut des Lebens auf Ehre gerichtet. Der Besitz bringt Habgier und Geiz hervor, die Wollust
führt zu Unkeuschheit, die Ehre verursacht Übermut und
Ruhmsucht. Aus Besitz muß Wagemut und Angst, aus Wollust Schlechtigkeit und Sündhaftigkeit, aus Ehre Eitelkeit
stets erwachsen. Könntest Du das begreifen, Du würdest
Nichtigkeit überall auf der Welt finden. Und erführest Du
dann Glück oder Unglück, das würdest Du geduldig ertragen, uns auch unbehelligt lassen. Aber sosehr ein Esel Leier
spielen kann, sosehr kannst Du die Wahrheit begreifen.
Darum haben wir mit Dir solche Mühe. Als wir Pyramus,
den Jüngling, und Thisbe, die Maid, die beide ein Herz und
eine Seele waren, trennten, als wir König Alexander der gesamten Weltherrschaft beraubten, als wir Paris von Troja
und Helena von Griechenland vernichteten, da wurden wir
nicht so sehr getadelt wie jetzt von Dir. Wegen Kaiser Karl,
Markgraf Willehalm, Dietrich von Bern, des Starken Bop-
pen und des Hürnen Seifried haben wir nicht ähnlich viele
Schererei en gehabt. Den Aristoteles und den Avicenna beklagen noch heute viele Leute, dennoch bleiben wir unbelä-
stigt. David, der geduldige, und Salomon, der Weisheit
Schrein, starben, da wurde uns mehr gedankt als gezürnt.
Die einstmals waren, die sind alle dahin; Du und alle, die
jetzt sind oder noch werden, müssen ihnen alle nach. Dennoch bleiben wir Tod hier Herr!

Des Ackermanns widerrede. Cappittulum xxxj^m.

Eygne rede verteylt dick ein man vnd sunderlich eynen,
der yczund eins vnd darnach ein anders redt. Jr hapt vor
gesprochen, jr seytt etwas vnd doch nicht ein geyst vnde
seit des lebens ende vnd euch seint alle jrdische lewt
empfolhen; so sprecht jr nun, wir mussen alle dohin   5
vnde jr, herre Tot, bleybt hie herre. Zwu widerwartige
reden mügen mit [15va] einander nit ware gewesen. Sullen wir von leben alle dohin scheyden vnd jrdisch leben
sol all*es* ende haben, *vnd ir seit, alls ir sprecht, des lebens
ennde,* so mercke ich: wann nymmer leben ist, so wirt   10
nymmer sterbens vnde todes. Wo koment jr dann hin,
herre Tot? Jn hyme*l* mügt jr nit wonen, der ist gegeben
den guten geysten; kein geyst seit jr nach ewer rede;
wann jr dann nymmer auff erden zu schaffen hapt vnd
die erde nymmer weret, so müst jr gerichtes jn die helle.   15
Do müst jr an ende krochen, do werden auch die lebendigen vnd die toten an euch gerochen. Nach ewer wechselrede kan sich niemant gerichten. Solten alle jrdische
dinge so bose, snode vnd vntuchtig sein beschaffen vnde
gewürcket? Das ist er von anfang der welt nie gezygen.   20
Tugent lieb *gehabt*, boßheyt *gehasset*, sünde vbersehen
vnde ge*rochen* hat got bis her. Ich glawb, hinnach tu er
auch das selbe. Jch han von jugent auff gehoret lesen
vnde gelernet, wie alle ding gott beschaffen ha*be*. Jr
sprecht, wie alle jrdische leben wesen sol*en* [15vb] ende   25
nemen. So sprichet Plato vnd ander weyssagen, das jn
allen sachen eines zurruttung des andern ber*u*ng sey vnd
wie alle sach auff ewi*gkeyt* seint gepauwet vnd wie des
hymels lauff aller vnd der erden von eynem jn das ander
verwandelt *würkung ewig sey. Mit ewrer wanckelrede*,   30
darauff niemant pauwen soll, wollt jr mich von meyner
clag schrecken. Des beruff ich mich mit euch an gott,
meynen heylant, verderber! Domit gebe euch gott ein
boses Amen!

DER ACKERMANN. Das 31. Kapitel

Die eigene Rede überführt häufig einen Mann und besonders einen, der jetzt so und danach anders redet. Ihr habt
vorhin gesagt, Ihr wäret etwas und doch nicht ein Geist und
wäret des Lebens Ende und Euch wären alle Irdischen anvertraut; nun aber verkündet Ihr, wir müßten alle dahin und
Ihr, Herr Tod, bliebet hier Herr. Zwei widersprüchliche Reden können nicht beide wahr sein. Sollen wir alle aus dem
Leben scheiden und soll irdisches Leben überhaupt ein
Ende haben und seid Ihr, wie Ihr sagt, des Lebens Ende, so
schließe ich: Wenn es kein Leben mehr gibt, wird auch kein
Sterben und Tod mehr sein. Wo kommt Ihr dann hin, Herr
Tod? Im Himmel dürft Ihr nicht wohnen, der ist den guten
Geistern vorbehalten; kein Geist seid Ihr nach Eurer Rede;
wenn Ihr dann nichts mehr auf Erden zu schaffen habt und
die Erde keinen Bestand mehr hat, so müßt Ihr geradewegs
in die Hölle. Da müßt Ihr ohne Ende ächzen, da werden
auch die Lebenden und die Toten an Euch gerächt. Nach
Eurer Flatterrede kann sich niemand richten. Sollten alle
irdischen Dinge so arg, kläglich und unnütz erschaffen und
gebildet sein? Das hat man Ihm seit Anbeginn der Welt noch
nie vorgeworfen. Tugend hochgehalten, Schlechtigkeit ver-
abscheut, Sünde bemerkt und bestraft hat Gott bisher. Ich
denke, in Zukunft wird er es genauso machen. Ich habe von
Jugend auf vorlesen gehört und gelernt, wie Gott alle Dinge
erschaffen habe. Ihr sprecht nun davon, wie alle irdischen
Lebewesen ein Ende nehmen müssen. Platon und andere
Philosophen lehren, daß bei allen Dingen des einen Zerstö-
rung des anderen Entstehung sei, daß alle Dinge auf Ewigkeit gegründet seien und daß die Schöpfung, in der sich des
Himmels Lauf aller Dinge und auch der Erde von einem ins
andere verwandelt, ewig sei. Mit Eurer Wankelrede, auf die
niemand bauen kann, wollt Ihr mich von meiner Klage ab-
schrecken. Deshalb appelliere ich mit Euch an Gott, meinen
Heiland, Verderber! Damit gebe Euch Gott ein böses Amen!

Des Todes widerrede. Cappittulum xxxij^m.

Offt ein man, der anhebet zu reden, jm werde dann
vnterstossen, nit auffgehoren kan. Du bist auch auß
dem selben *s*tempfell gewürcket. Wir haben gesprochen
vnde sprechen noch – domit wollen wir ende machen –:
die erde vnd alle jr behaltung ist   auff vnstettigkeyt ge-   5
pauwet. Jn dieser zeytt ist sie wandelber worden, wann
alle ding habent sich verkert: das hinder *h*erfür, das vor-
der h*inhin*der, das vnter gen berge, das ober gegen [16ra]
tale, das ebich an das recht hat die meyste menig volckes
gekeret. Jn fewers flammen stettigkeyt han ich all   10
menschlich geslecht getretten. Einen schein zu greyffen,
einen guten, traüwen, bestend*igen* freund zu vinden ist
nahent gleich muglich auff erden worden. Alle menschen seint mer zu boßheyt dann zu güt geneygt. Tut *nu*
jemant icht gutes, das tut er vns besorgende. Alle lewte   15
mit allem jrem gewürcke seint vol eytelkeyt worden. Jr
leip, jr weip, jre kinde, jr ere,   jr gut vnde all jr vermu-
gen fleusset alles dahin, mit *einem* eugenplicke verswindet es, mit dem winde verwischet es; noch kan der
schein noch der scha*t*en nicht bleyben. Mercke, brufe,   20
sihe vnd schaw, wa*s* nu der menschen kinder haben auff
erden. Wie sie berg vnd tal, stock, stein vnde gefilde,
alpen, wildnüss, des meres grunt, der erden tieff durch
jrdischs *guts willen durchgründen* [16va] jn regen,
winden, tonnder, schawer, sne vnde jn allerley vngewit-   25
ter. Wie sie slecht stollen vnde tieff gruntgrube jn d*ie*
erden durchgraben, der erden adern   durch*p*auwen,
glanczerden suchent, die sie durch selczamkeytt willen
für alle ding lieb haben. Wie sie holcz wellen, gewant
ze*u*nen, hewser den swalben gleychen klecken, pflan-   30
czen vnde belczen baumgarten, ackern das ertereich,
bawen weinwachß, machen mulwerg, zu thun zinse,
bestellen vischerey, weidwerg vnd wiltwerg, grosse hert
vichs zusamentreyben, vil knecht vnde meyde   haben,

DER TOD. Das 32. Kapitel

Oft kann ein Mann, der anfängt zu reden, wenn er nicht un-
terbrochen wird, nicht mehr aufhören. Du bist aus demsel-
ben Holz geschnitzt. Wir haben gesagt und sagen weiterhin
– damit wollen wir aber Schluß machen –: Die Erde und
alles, was sie enthält, ist auf Unbeständigkeit gegründet. In
dieser Zeit ist sie veränderlich geworden, denn alle Dinge
haben sich verkehrt: Das Hintere nach vorn, das Vordere
nach hinten, das Untere zu Berg, das Obere zu Tal, das Verkehrte zu Richtigem haben die allermeisten Leute gewendet. In des Flammenfeuers Beständigkeit habe ich das ganze
Menschengeschlecht gestoßen. Ein Trugbild festzuhalten,
einen guten, treuen, zuverlässigen Freund zu finden, beides
ist beinah gleich möglich geworden auf Erden. Alle Menschen sind mehr zu Schlechtigkeit als zu Güte bereit. Tut
jetzt überhaupt jemand Gutes, so tut er es in Sorge um uns.
Alle Leute mit all ihrem Getue sind voller Eitelkeit heute.
Ihr Leib, ihr Weib, ihre Kinder, ihr Ansehen, ihr Besitz und
alles, was sie zustande bringen, geht samt und sonders dahin, in einem Augenblick verschwindet es, mit dem Wind
verweht es; weder der Abglanz noch der Schatten haben Bestand. Merke, erkenne, sieh und schau, was jetzt die Men-
schenkinder auf Erden treiben: wie sie Berg und Tal, Stock,
Stein und Gefilde, Alpen, Wildnis, des Meeres Grund, der
Erde Tiefe um irdischen Gutes willen durchforschen bei Regen, Sturm, Donner, Hagel, Schnee und allerlei Ungewit-
tern; wie sie gerade Stollen und tiefe Schächte in die Erde
hineingraben, der Erde Adern durchstoßen, Erzbrocken
suchen, die sie um ihrer Seltenheit willen über alles lieben;
wie sie Baumstämme wälzen, Gewänder abstecken, Häuser schwalbengleich zusammenkleben, Baumgärten pflanzen und propfen, das Erdreich beackern, Weinberge an-
legen, Mühlwerke errichten, um Abgaben einzutreiben,
Fischerei, Weidwerk und Wildwerk ausüben; große Vieh-
herden zusammentreiben, viele Knechte und Mägde haben,

hoch pferde reytten, goldes, silbers, edel gesteines, rei- 35
ches gewandes vnd allerley ander habe hewser vnd ky-
sten voll haben, wollust vnd wunnen pflegen, darnach
sie tage vnd nacht stellen vnd trachten. Was ist das alles?
Alles jst ein eytelkeyt vnd jnserung der sele, vergengk-
lichkeyt als der gestryig tag, der vergangen ist. Mit 40
krieg vnde mit raube gewynnen sie es; wann je mer gehapt, ye mancherley geraubet. Zu kryegen vnde [16ᵛᵇ]
zu weren lassen sie es noch jn. O die totliche menscheyt
ist stetigclichen jn engsten, in trubsall, jn leyt, jn besor-
gen, jn vorchten, jn schewunge, jn wetag*en*, jn siech- 45
tagen, jn trauwern, [16ʳᵃ] *jn* betrübnüß, jn jamer, in kummer, jn ellende vnde jn mancherley widerwertigkeyt.
Vnde ye mer ein mensch jrdisches gutes hat, ye mere jm
widerwertigkeyt begeynt. Noch ist das das allergroste,
das ein [16ʳᵇ] mensch nicht   gewissen kan, wenn, wo 50
oder wie wir vber es pflupfling vallen vnde es jagen zu
lauffen den weg der totlichen. Die pürde müssen tragen
herren vnd knechte, mann vnd weybe, reich vnd arme,
gut vnde bose. O leidige zuversichte, wie wenig achten
dein die tummen; wann es zu spat ist, so wollen sie alle 55
frumme werden. Das ist alles eyttelkeyt vber eytelkeyt
vnde beswerung der sele. Darvmb laß dein clage sein
vnd dritt jn wellichen orden du wilt, du findest gebrechen vnd eytellkeyt darjnnen. Ydoch kere   von dem
posen vnde thu das gut, suche den fryden vnde *tue* in 60
stet. *Vber* alle jrdische ding habe liep rein vnde lauter
gewissen. Vnde das wir di*r* recht geraten haben, des
kommen wir mit dir an gott, den ewigen, den grossen
vnd den starcken.

hohe Pferde reiten, von Gold, Silber, Edelsteinen, Prunkge-
wändern und allerlei anderen Gütern Häuser und Kisten
voll haben, Wollust und Vergnügen pflegen, nach denen sie
Tag und Nacht gieren und trachten. Was ist das alles? Alles
ist Eitelkeit und Schädigung der Seele, Vergänglichkeit wie
der gestrige Tag, der vergangen ist. Mit Kampf und mit
Raub gewinnen sie es, denn: je mehr besessen, desto mehr
geraubt. Zu weiterem Kampf und Streit hinterlassen sie es.
Oh, die sterbliche Menschheit ist beständig in Angst, in
Trübsal, in Leid, in Sorge, in Furcht, in Schrecken, in
Krankheit, in Siechtum, in Trauer, in Betrübnis, in Jammer,
in Kummer, in Elend und in mancherlei Widerwärtigkeit.
Und je mehr an irdischem Gut ein Mensch besitzt, desto
mehr Widerwärtigkeit begegnet ihm. Noch das Aller-
schlimmste aber ist, daß ein Menschenkind nicht wissen
kann, wann, wo oder wie wir über es urplötzlich herfallen
und es antreiben, den Weg der Sterblichen zu gehen. Diese
Last müssen tragen Herren und Knechte, Männer und
Frauen, Reiche und Arme, Gute und Schlechte. O schmerzliche Aussicht, wie wenig denken an dich die Toren; wenn's
zu spät ist, wollen sie alle fromm werden. Das ist alles Eitelkeit über Eitelkeit und Belastung der Seele. Darum laß
Deine Klage sein und tritt in welchen Stand Du willst: Du
findest Fehler und Eitelkeit darin. Doch wende Dich ab
vom Schlechten und tue das Gute, suche den Frieden und
halte ihn stets! Mehr als alles andere liebe ein reines und
lauteres Gewissen! Und zum Beweis dafür, daß wir Dir
recht geraten haben, kommen wir mit Dir vor Gott, den
Ewigen, den Großen und den Starken.

Des fürsten rede von vil selden, des allmechtigen
gotes vrteil. Cappittulum xxxiij^m.

Der lencz, der sommer, der herbst vnde der winter, die
vier erquicker vnde hantheber des jares, die wurden
zwyfürsig mitt grossen kriegen. Jre jeder rumet sich seynes guten willen *mit seiner* [16vb] würckung vnd wol*t*
der beste *sein.* Der lencz sprach, er *e*rquick*t*e vnde   5
mach*t*e gufftig alle frucht. Der summer sprach, er macht
reiff vnd zeittig alle frucht. Der herbest sprach, er brecht
vnd zecht ein *b*eyde jn stedel, jn keller vnde jn die hewser alle frucht. Der wintter sprach, er verzerte vnd ver-
nuczte alle frücht vnde vertrybe alle gifttragende   10
würme. Sie rum*p*ten sich vnde kriegten vast. Sie hetten   aber vergessen, das sie sich gewelter herschafft
rum*p*ten. E*b*englich tut jr beyde. Der clager claget
sein verlust, als obe sie sein erbrecht were; er w*e*net
nicht, das sie von vns wer*e* verlyhen. Der Tott rümet   15
sich gewaltiger herschafft, die er doch allein von vns zu
lehen hat empfangen. Der clagt, das nit sein ist; dieser
rumet sich herschafft, die er nicht von [17ra] jm selber
hat. Yedoch der kryg ist nicht gar ane sach, jr habent
beyde wol gefochten: den zwinget leyt zu clagen, diese*n*   20
die anfertigung des clagers die weyßheyt zu sagen.
Darvmb clager, *hab ere*, Tot, syge! Yeder mensch dem
tode das leben, den leyp der erden, die sele vns pflichtig
ist zu geben.

Des Fürsten von vielen Residenzen Rede, des allmächtigen
Gottes Urteil. Das 33. Kapitel

Der Frühling, der Sommer, der Herbst und der Winter, die
vier Beleber und Betreiber des Jahreslaufs, die entzweiten
sich in großem Streit. Jeder von ihnen rühmte sich der guten Absicht seiner Tätigkeit und wollte der Beste sein. Der
Frühling sagte, er belebe und lasse schwellen alle Früchte.
Der Sommer sagte, er mache reif und rund alle Früchte.
Der Herbst sagte, er ernte und bringe ein in den Stadel, die
Keller wie die Häuser alle Früchte. Der Winter sagte, er
verzehre und verbrauche alle Früchte und vertreibe alle gif-
tigen Würmer. Sie rühmten sich und stritten heftig. Sie hatten aber vergessen, daß sie sich einer übertragenen Herrschaft rühmten. Ebenso macht Ihr beide es. Der Kläger
beklagt seine Verlustsache, als ob er ein Erbrecht auf sie
hätte; er bedenkt nicht, daß sie von Uns verliehen wurde.
Der Tod rühmt sich gewaltiger Herrschaft, die er doch nur
von Uns zu Lehen erhalten hat. Jener beklagt, was ihm
nicht gehört; dieser rühmt sich einer Herrschaft, die er
nicht aus sich selber hat. Doch der Streit ist nicht ganz
ohne Ursache, und Ihr habt Euch beide gut geschlagen:
Jenen zwingt sein Leid zu klagen, diesen der Angriff des
Klägers, die Weisheit auszusprechen. Darum gebühre Dir,
Kläger, die Ehre, Dir, Tod, der Sieg! Jeder Mensch ist verpflichtet, dem Tod das Leben, den Leib der Erde, die Seele
Uns zu überantworten.

Hie bitt der Ackerman fur seiner frauwen sele.
Der roten buchstaben die grossen nennent als den clager.
Diß cappittel stett eins bets weyse
vnde ist das xxxiiij cappittel.

Jmmerwachender wachter aller welte, gott aller gotter,
herr, wunderhafftiger herr aller herren, almechtigister
aller geyste, fürst aller fürstentum, prunn, auß dem alle
guttet flewsset, heyliger aller heyligen, kroner vnd die
kron, loner vnd der lon, kürfurst, jn des küre sten alle   5
küre, wol jm ward, wer manschafft von dir empfehet!
Der engel frewd vnde wüne, jndruck der allerhosten formen, alter greyser jungling, erhore mich!
O liecht, das nicht empfeht ander liecht, liecht, das
vervinstert vnde verplendet alles außwendiges liecht;   10
schein, [17rb] vor dem verswindet aller ander schein,
schein, zu des achtung alle liecht seint vinsternüß, zu
dem aller schatt erscheinet; liecht, das jn der begynnuß
gesprochen hat: 'werde liecht'; fewr, das vnuerloschen
ewig prynnet, anefang vnde ende, erhore mich!   15
Heyl vnde selde vber alles heyl vnde selde, weg an allen jrrsall zu deme ewigen leben, bessers, one das dann
nicht bessers ist, lebenn, dem alle ding leben, warheit
vber alle warheit, weißheit, die vmbsleusset alle weyss-
heyt, aller sterck gewaltiger, recht vnd gerecht hant, be-   20
schawer vnd widerbringer aller bruch, gancz vermügen-
der [17va] jn allen krefften, nothafft, zu dem alle gute
ding als zu dem weysel der pein nehent vnd halten sich,
vrsach aller sach, erhore mich!
Aller seuchten widerpringender arczt, meyster aller   25
meyster, allein vatter aller schopfung, allweg vnde an allen enden [17vb] gegenwertiger zuseher, auß der muter
leib jn der erden cruft selbmugender geleyter, bilder aller
forme, gruntfest aller guten wercke, aller welt warheyt,
hasser aller vnflettigkeytt, loner aller guten ding, aller   30
rechten richter, enig, auß des anefang alle sachen ewigclichen nymmer weichen, erhöre mich!

Hier bittet der Ackermann für die Seele seiner Frau.
Von den roten Buchstaben nennen die großen den Kläger.
Das Kapitel hat die Form eines Gebets
und ist das 34. Kapitel

Immerwachender Wächter aller Welt, Gott aller Götter, Herr, wunderbarer Herr aller Herren, Allmächtiger aller Geister, Fürst aller Fürstentümer, Brunnen, aus dem alles Gute fließt, Heiliger aller Heiligen, Krönender und Krone, Belohnender und Lohn, Kurfürst, in dessen Kurwürde alle Kür steht, wohl ihm, der sein Lehen von Dir empfängt! Der Engel Glück und Freude, Präger der allerhöchsten Formen, alter, greiser Jüngling, erhöre mich!

O Licht, das nicht empfängt anderes Licht, Licht, das verdunkelt und verfinstert alles äußerliche Licht; Leuchten, vor dem verschwindet alles andere Leuchten, Leuchten, dem gegenüber alle Lichter Dunkelheit sind, dem aller Schatten zu Leuchten wird; Licht, das im Anbeginn gesprochen hat: »werde Licht«; Feuer, das unauslöschlich ewig brennt, Anfang und Ende, erhöre mich!

Heil und Seligkeit über alles Heil und alle Seligkeit, Weg ohne alle Irrung zum ewigen Leben, Bestes, ohne das nichts Besseres ist, Leben, dem alle Dinge leben, Wahrheit über alle Wahrheit, Weisheit, die alle Weisheit umschließt, aller Gewalten Mächtiger, rechte und gerechte Hand, Beschauer und Heiler aller Gebrechen, Vollverfügender über alle Kräfte, Notanker, dem alle guten Dinge sich nähern und an dem sie sich festhalten wie am Weisel der Bienen, Ursache aller Sachen, erhöre mich!

Alle Krankheiten heilender Arzt, Meister aller Meister, alleiniger Vater der ganzen Schöpfung, immer und überall gegenwärtiger Beobachter, aus dem Mutterleib in die Erdengruft eigenverantwortlich Geleitender, Bildner aller Formen, Fundament aller guten Werke, aller Welt Wahrheit, Hasser aller Unreinheit, Belohner aller guten Dinge, aller Gerechten Richter, Eines, aus dessen Anfang alle Dinge in Ewigkeit nie mehr herausfallen, erhöre mich!

Nothelffer jn allen engsten, vester knode, den niemant auffgebindenn mag, volkomens wesen, das aller volkomenheyt mechtig ist, aller heymlichen vnde niemants wissender sachen warhafftiger erkenner, ewiger frewden spendter, jrdischer wünnen storer, wirt, jngesinde vnde haußgenoss aller guten lewte, jeger, dem alle spur vnuerborgen sein, aller synnen ein feiner *ein*guß, rechter vnd zusammenhalter aller mittel vnd zirckelmaß, genediger erhorer aller zu dir ruffender, erhore mich!

Nahender beystendiger aller bedürfftigen, traurenwenter aller jn dich hoffende, der hungerigen widerfuller, [17rb] satung, der dürfftigen labung, sigell der allerhochsten maiestat, besliessung des hymmels armoney, einiger erkenner aller menschen gedencke, vngleycher bilder aller menschen antlycz, plonete, gewaltiger aller ploneten, ganczwürckender einfluß alles gestirnes, des hymmelhoffs gewaltiger vnde wünsamer hoffmeyster, zwang, vor dem alle hymelische ordenung auss jrem geewigten angel nymmer tretten [17va] mag, liechte sonne, erhore mich!

*E*wige lucern, ewiges jmerliecht, recht varender marner, dein koke vnterget nymer! Panerfürer, vnter des baner niemant siglos wirt, der helle stiffter, der erden kloses pawer, des meres tremmer, der lufft *vn*stetigkeyt mischer, des fewers hicz krefftiger, aller element tirmer, doners, bliczens, nebels, schauwers, snees, regens, regenbogens, mültawes, windes vnd aller jrer mitprauchung einiger eßmeyster, alles hymmelschen heres gewaltiger herczog, vnuersagenlicher keyser, allersenfftigclichster, allersterckster, allerbarmherczigister schopffer, erparme dich vnde erhore mich!

Schacz, von dem alle schecz entsprissen, vrsprung, auß dem alle reyne außfluß fliessen, leytter, nach dem niemant ververt, [17vb] auß nichts icht, auß icht nichts alleinvermügender würcker, aller weylwesen, zeyttwesen vnde ymmerwe[18ra]sen ganczmechtiger erquicker,

Nothelfer in allen Ängsten, fester Knoten, den niemand lösen kann, vollkommenes Wesen, das aller Vollkommenheit mächtig ist, aller heimlichen und niemand bekannten Sachen wahrhaftiger Kenner, ewiger Freuden Spender, irdischer Genüsse Störer, Wirt, Mitbewohner und Hausgenosse aller guten Leute, Jäger, dem alle Spuren unverborgen sind, aller Sinne feine Eingießung, Lenker und Zusammenhalter aller Mittelpunkte und Umfänge, gnädiger Erhörer aller zu Dir Flehenden, erhöre mich!

Naher Beistand aller Bedürftigen, Trauerabwender aller auf Dich Hoffenden, der Hungrigen Ernährer, Sättigung, der Bedürftigen Labung, Siegel der allerhöchsten Majestät, Vollender der himmlischen Harmonie, alleiniger Kenner aller menschlichen Gedanken, unvergleichlicher Bildner aller menschlichen Antlitze, Planet, Mächtiger aller Planeten, allwirkender Einfluß aller Gestirne, des Himmelshofs mächtiger und freundlicher Hofmeister, Zwang, unter dem alle himmlische Ordnung aus ihrer unverbrüchlichen Fügung nie heraustreten kann, helle Sonne, erhöre mich!

Ewige Lampe, ewiges Dauerlicht, recht fahrender Schiffer, Deine Kogge geht niemals unter! Bannerführer, unter dessen Banner niemand sieglos wird, der Hölle Gründer, des Erdkloßes Former, des Meeres Zügler, der Luftturbulenzen Mischer, des Feuersglut Anfacher, aller Elemente Schöpfer, des Donners, des Blitzes, des Nebels, des Hagels, des Schnees, des Regens, des Regenbogens, des Mehltaues, des Windes und all ihren Zusammenwirkens alleiniger Schmiedemeister, des ganzen himmlischen Heers gewaltiger Herzog, sich nie versagender Kaiser, allermildester, allerstärkster, allerbarmherzigster Schöpfer, erbarme Dich und erhöre mich!

Schatz, aus dem alle Schätze entsprießen, Ursprung, aus dem alle reinen Ausflüsse fließen, Geleiter, mit dem niemand irre geht, aus nichts etwas, aus etwas nichts zu machen allein vermögender Schöpfer, aller Weilwesen, Zeitwesen und Immerwesen allmächtiger Beleber, Erhalter und

auffhalder vnde vernichter, des wesen auch, als du jn dir
selber bist, aussrichten, visiren,   entwerffen vnd abene-   70
men niemant kan, ganczgut vber aller gute, *aller*wirdigister ewiger herre Jhesu, empfahe genedigclichen den
geyste, empfahe gutlichen die sele meyner allerliebsten
frauwen, die ewige ruwe gibe jr, mit deiner genaden
tawe labe sie, vnter den schatten deiner flugel behalte   75
sie, nyme sie, herre, jn die volkomen genuge, do genugt
den mynsten als den grosten. Laß sie, herre, von dannen
sie komen ist wonen jn deinem reich bey den *ewig*selig
geysten. Mich rewet Margaretha, meyn außerweltes
weyp. Gonne jr, genadenreicher herre, jn deiner almech-   80
tigen vnde ewigen gotheyt spygel sich ewigclychen *erse*-
hen, beschawen vnde erfrewen, darjnn sich alle engeli-
sche kore erlewchten. Alles, das vnter des ewigen fan-
nentrager fannen gehoret, es sey wellicherley creatuer
es sey, hilffe mir auss herczen grunde seligclichen mit   85
jnnigkeyt [18rb]   sprechen: Amen.

Vernichter, dessen Wesen seinerseits, so wie Du in Dir selber bist, niemand ermitteln, umreißen, entwerfen und abbilden kann, höchstes Gut über allem Gut, allerwürdigster ewiger Herr Jesus, empfange gnädig den Geist, empfange gütig die Seele meiner allerliebsten Frau, die ewige Ruhe schenke ihr, mit Deiner Gnaden Tau labe sie, unter dem Schatten Deiner Flügel halte sie, nimm sie, Herr, in die vollkommene Erfüllung, wo Erfüllung zuteil wird den Geringsten wie den Größten. Laß sie, Herr, woher sie gekommen ist, wohnen, in Deinem Reich bei den ewigen, seligen Geistern. Mich schmerzt Margaretha, meine auserwählte Frau. Gönne ihr, gnadenreicher Herr, sich in Deiner allmächtigen und ewigen Gottheit Spiegel ewig zu beschauen, zu erkennen und zu erfreuen, wo alle Engelschöre ihr Licht gewinnen. Alles, was unter des ewigen Fahnenträgers Fahne gehört, es sei, welche Kreatur es sei, helfe mir aus Herzensgrund selig und andächtig zu sprechen: Amen.

[96ᵛ]
Epistola oblata Petro Rothers ciui Pragensi cum Libello
ackerman de nouo dictato

Grato gratus, suo suus, socio socius, Petro de Tepla Johannes de Tepla, ciui Pragens*i* ciu*is* Zacensi*s* philorticam
karitatem et fraternam. Karitas que nos horis floride
iuuentutis vniuit, me hortatur et cogit vestri memori*a*
consolari et qui*a* postulabatis nuper per me de et ex agro   5
rethoricalis iocunditatis, in quo cum messem neglexerim
spicas colligo, nouitatibus munerari, ideo hoc incomp-
tum e*t* agreste ex te*u*tunico [97ʳ] ligwagio consertum
agregamen, quod iam uadit ab incode, vobis dono. Jn eo
tamen per preasumptum grosse materie jnueccio contra   10
fatum mortis ineuitabile situatur, jn qua rethorice essencialia exprimuntur. Jbi longa breuiatur, ibi curta materia
prolongatur, ibidem rerum, ymmo quoque vnius et eius-
dem rei laus cum vituperio continentur. Succisa inueni-
tur, jnvenitur sibi construccio suspensiua, cum equiuo-   15
cacione sinonimacio. Illi*c* currunt cola, coma, periodus
modernis situacionibus; illic ludunt vna sede retinentj
cum seri*o* palponia. Methaphora famulatur, arenga inve-
hitur et demollitur, yrronia sorridet; verbales et senten-
cionales colores cum figuris sua officia execuntur. Multa   20
quoque alia et tamquam omnia utcumque inculta rethorice accumina, que possunt fieri in hoc ydeomate jndeclinabili, ibi vigent que int*entus* inveniet auscultator.
Tandem *u*os latinis de agro meo steril*i* enuditibus stipi-

Brief, überbracht dem Prager Bürger Peter Rothers
mitsamt dem vor kurzem verfaßten
Büchlein ›Ackermann‹

Dem Wohlgesinnten entbietet der Wohlgesinnte, dem Seinen der Seine, dem Gefährten der Gefährte, dem Peter von
Tepl der Johannes von Tepl, dem Prager Bürger der Saazer
Bürger freundschaftliche und brüderliche Zuneigung. Die
Zuneigung, die uns in Stunden blühender Jugend vereinte,
mahnt und drängt mich, in der Erinnerung an Euch Trost
zu suchen; und da Ihr neulich von mir verlangtet, von und
aus dem Acker rhetorischer Annehmlichkeit – auf dem ich,
da ich die Ernte versäumt habe, Ähren lese – mit Neuheiten
bedacht zu werden, übergebe ich Euch hiermit dieses rohe
und bäuerische, aus deutschem Sprachstoff gefügte Stück-
werk, das gerade vom Amboß kommt. In ihm wird nichts-
destoweniger anhand des erwähnten groben Stoffes ein Angriff auf das unvermeidliche Geschick des Todes ins Werk
gesetzt, in welchem die Hauptformen der Rhetorik zum
Ausdruck kommen. Da wird ein langer Gegenstand ge-
kürzt, ein kurzer ausgedehnt, bei derselben Gelegenheit
wird das Lob der Sachen, ja selbst ein und derselben Sache
mit Tadel verbunden. Präzise Fügung findet man, und es
findet sich schwebende, neben der Gleichlautung die
Gleichnamigkeit. Hier eilen dahin Satzglieder, Satzteile und
Satzgefüge in neuartigen Formen; dort spielen am gleichen
Ort mit zurückhaltendem Ernst Scherze. Metapher ist
dienstbar, Arenga stichelt und wird besänftigt, Ironie lächelt; Wort- und Satzschmuck verrichtet neben den Redefiguren sein Amt. Noch viele andere, ja gleichsam alle
obschon ungepflegten Spitzen der Rhetorik, die in dieser
ungelenken Sprache möglich sind, stehen hier in lebhafter
Regung, wie der aufmerksame Hörer herausfinden wird.
Schließlich will ich Euch mit blanken lateinischen Halmen
von meinem unfruchtbaren Acker erfreuen. Im übrigen

lis recreabo. Jnter cetera Nicolaum Iohlinni, oblatorem   25
presencium, amari et alumpnum meum vobis tamquam
me recomendo intentis et fidelibus effectibus preessendum. Reliqua stent ut stabant, nisi fuerint in uberius re-
formata. Datum sub mei signetj euidencia uigilia beatj
Bartholomei Anno 1428^{uo}.   30

empfehle ich, den Nikolaus Johlinni, Überbringer des Vorliegenden, liebevoll aufzunehmen und empfehle meinen
Zögling wie mich selbst Euerm aufmerksamen und dauer-
haften Wohlwollen zu bevorzugter Behandlung. Das übrige
möge bleiben, wie es war, wenn es sich nicht zum Besseren
gewendet haben sollte. Ausgefertigt kraft meines Notariats-
zeichens am Vorabend des St. Bartholomäus-Tages im Jahre
1428.

Zur Textkonstitution

Der ›Ackermann‹ ist reich, aber auch in nicht unbeträchtlicher Variabilität überliefert. Jede Handschrift und jeder Druck hat Lücken, Zusätze und Eigenheiten, welche die Geschichtlichkeit der ›Ackermann‹-Prosa ausmachen, zugleich deren ursprüngliche Form teilweise verdecken. Für die Konstitution der ältesten Überlieferung am wichtigsten sind die folgenden Handschriften und Drucke; sie sind allesamt in Faksimileausgaben und/oder diplomatischen Abdrucken greifbar:

A Stuttgart, Württembergische Landesbibliothek, Cod. HB X 23, f. 2ra–18rb (1449)

B Heidelberg, Universitätsbibliothek, Cpg 76, f. 2^{r}–32^{v} (um 1470 oder 1480)

E München, Bayerische Staatsbibliothek, Clm 27063, f. 165^{r}–166^{v} (nur bis Kap. 14; um 1455/60)

H München, Bayerische Staatsbibliothek, Cgm 579, f. 40ra–55ra (um 1470/75)

L München, Bayerische Staatsbibliothek, Cgm 8735, f. 137ra–148vb; Brüssel, Bibliothèque Royale Albert Ier, Ms. 1634–1635, f. 149ra–159vb (um 1470)

a [Bamberg: Albrecht Pfister, um 1462/63]

b [Bamberg: Albrecht Pfister (Nachfolger), um 1470]

γ Gruppe mehrerer, vor allem schwäbisch-alemannischer Handschriften (D, K, M) und Drucke (c–n)

Tk ›Tkadleček‹ (alttschechische Bearbeitung des ›Ackermann‹, um 1408)

Die vorliegende Ausgabe folgt, wie zuvor diejenige Karl Bertaus (1994), der ältesten Handschrift (A), die 1449 vielleicht in Nürnberg entstand. Sie stammt von der Hand des Caspar von Landau, der 1448 vermutlich in Nürnberg Hans Mairs ›Trojanerkrieg‹-Übersetzung und Wichwolts ›Alexander‹ abschrieb (München, Bayerische Staatsbibliothek, Cgm 267). Der Lautstand der Handschrift entspricht der überregionalen (ost-)oberdeutschen, vom Ostmitteldeutschen beeinflußten Kanzleisprache des 15. Jahrhunderts. Er

steht also dem West- oder Nordwestböhmischen, das Johannes von
Tepl verwendet haben dürfte, zumindest nahe. Die Diphthongie-
rungen /ei/ (für mhd. /î/), /eu/ (für mhd. /iu/) und /au/ (für mhd.
/û/) sind konsequent verwirklicht. Durchgängig erscheint Mono-
phthong /û/ für mhd.-bair. /uo/, häufiger auch /a/ für /o/. Typisch
ostmitteldeutsche Kennzeichen wie /ô/ für /ou/ oder /f/ für /p/ und
/qu/ für /tw/ fehlen (genaue Aufstellung bei Bertau, Ausgabe,
S. 283–301).

Angesichts der relativen Nähe der Handschrift zum Entstehungsraum des Textes wird die lautliche Graphie des Schreibers in der
Ausgabe nicht angetastet. Sie ist im großen und ganzen (z. B. was
die Verteilung von ⟨u⟩ und ⟨v⟩ angeht) nicht ohne Konsequenz. Un-
regelmäßigkeiten im Vokalismus (⟨i⟩ neben ⟨j⟩ und ⟨y⟩) und im Kon-
sonantismus (Mischung von Einfach- und Doppelkonsonanz) können ebenso erhalten bleiben wie solche in der Flexion der Verben (2.
Pl. ⟨-ent⟩ neben ⟨-(e)t⟩) und der Adjektive (gelegentlicher Dativ auf
⟨-n⟩ statt ⟨-m⟩). Schwieriger ist die Regelung des Umlauts: Der
Schreiber benutzt (vor allem bei ⟨u⟩) einen nach rechts versetzten
Punkt, der häufig nur die Vokalqualität als solche anzeigt, sowie
doppelte Schrägstriche, die ebenfalls bei vokalischem ⟨w⟩ vorkom-
men und ebenfalls nicht selten nur der Vokalqualität gelten. In der
Ausgabe werden nur die doppelten Schrägstriche berücksichtigt,
und dies auch nur bei Wörtern, bei denen seit dem Frühneuhochdeutschen Umlautung geläufig geworden ist.

Generell versucht die Ausgabe alle Formen zu bewahren, die, soweit sie den Sinn nicht verändern oder eindeutig fehlerhaft sind,
dialektale oder schreibspezifische Eigenheiten darstellen. Geht die
Bedeutung eines Wortes nicht aus dem Kontext oder der Übersetzung hervor, gibt der Stellenkommentar eine Erklärung.

Um die Lesbarkeit zu erleichtern, werden stillschweigend

1. Buchstaben, die Tintenfraß oder Pilzbefall zum Opfer gefallen
   sind, rekonstruiert, da die Art der Lücke sowie die übrige Überlieferung in der Regel eindeutig sind;

2. Abkürzungen aufgelöst;

3. Rubrizierungen und Paragraphenzeichen im Abdruck übergangen;

4. Großbuchstaben nur bei Satzanfängen sowie bei Namen und Per-
   sonifikationen verwendet;

5. Worttrennung, Satzabteilung und Interpunktion nicht nach dem (weder einheitlichen noch eindeutigen) Usus des Schreibers, sondern nach neuzeitlichen Gepflogenheiten geregelt.

Darüber hinaus wird dort in den Wortlaut der Handschrift eingegriffen, wo dieser gegenüber der sonstigen älteren Überlieferung fehlerhaft oder sekundär scheint. Im einzelnen werden

6. Wortvertauschungen des Schreibers rückgängig gemacht: 1,12; 2,23 (ABL); 6,4; 6,12; 7,7; 8,20; 9,17; 15,18; 15,27; 19,13 f.; 24,5; 26,17 (ABL); 27,24; 29,14; 29,23; 30,19;

7. Zusätze des Schreibers (meist einwortig) ausgeschieden: 1,5 (AH); 2,12; 2,16; 5,3; 5,11; 5,15 (2mal); 6,11; 6,15; 6,17; 6,23; 7,20; 11,10; 12,14; 12,24; 13,6; 13,32; 14,3; 14,28; 15,26; 16,20; 17,32; 18,5; 19,20; 20,10; 20,22; 22,5; 22,18; 22,23 (Aba); 23,4 (Aa); 23,9; 25,6; 25,28; 25,37; 26,12; 26,44; 28,10; 28,19; 29,1; 29,21; 29,28; 31,23; 32,2; 32,5; 32,17; 32,24; 32,27; 32,34; 32,50; 32,59; 33,12; 34,45; 34,70; 34,86 – jeweils größerer Wortzwischenraum im Text (unsicher: 11,4; 11,17; 12,25; 25,9; 29,21; s. Apparat).

8. Formen der Wortentstellung und des Wortersatzes korrigiert (kursiv im Text);

9. Fehlstellen, soweit syntaktisch und/oder inhaltlich eindeutig als solche kenntlich, aus der älteren Überlieferung (EHa) ergänzt (kursiv im Text).

Die Ausgabe weicht somit häufiger, als es einem modernen Herausgeber lieb sein kann, von der Handschrift ab. Doch gilt es, der besonderen Überlieferungssituation Rechnung zu tragen. Keiner der textgeschichtlich ältesten Überlieferungsträger kann ohne weiteres als Grundlage einer autornahen Textedition dienen. Handschrift E, die wohl den besten Text aufweist, bricht im 14. Kapitel ab. Handschrift H, der sich viele Herausgeber anvertraut haben, beruht zwar vielleicht auf einer Korrekturvorlage, enthält aber eine Reihe von Eigenmächtigkeiten und stilistischen Glättungen. Druck a stellt bereits eine (sorgfältige) Redaktion dar, für die verschiedene Vorlagen vergleichend benutzt wurden.

Handschrift A, der diese Ausgabe folgt, bietet insgesamt einen guten Text und zeichnet sich durch eher konservative Textbehandlung aus. Doch unübersehbar sind auch hier zahlreiche kleinere Lücken und Entstellungen, die – will man einen autornäheren Text lesen – den Rückgriff auf die andere Überlieferung bzw. deren Hauptvertreter (EHa) erfordern. Wichtig bei diesem Rückgriff bleibt, daß einerseits die Nähe zur Überlieferung gewahrt, andererseits eine willkürliche Wahl von Lesarten vermieden wird. Dementsprechend ist in der vorliegenden Ausgabe nur dort gegen die Handschrift entschieden, wo diese nicht zureichend sinnhafte und/ oder überlieferungslogisch nicht ursprüngliche Lesarten aufweist. Wo die Überlieferung generell divergiert, folgt die Ausgabe meist dem Text von A. Und selbst dort, wo die andere Überlieferung relativ geschlossen eine sinnvolle, von A abweichende Lesart bietet, wird dem A-Text dann der Vorzug gegeben, wenn die Übereinstimmung der anderen Überlieferung sekundär (z. B. als Vereinfachung oder Angleichung an überregional Geläufiges) zustande gekommen sein kann.

Generell gilt es, künstlich geschaffene Konsequenzzwänge zu vermeiden. An einem bestimmten Punkt von A zugunsten der sonstigen Überlieferung abzuweichen, zwingt nicht dazu, dieser auch an einem anderen Punkt den Vorzug zu geben. Für jede einzelne Stelle sind die grammatischen, lexikalischen und überlieferungslogischen Bedingungen eines Wortes oder einer Wendung neu zu prüfen. Das gilt besonders für das Verhältnis zwischen A und EH. In den ersten 14 Kapiteln, bis zum Abbruch von Handschrift E, bieten E und H gelegentlich sinnvollen Text, wo A (und die übrige Überlieferung) Entstellung oder Lücke aufweist (Übersicht bei Schröder, Ausg., S. 128 f.). Sie bieten aber nicht selten auch Lesarten, deren Authentizität ungesichert bleibt. 1,2 *her tod* (EH) dürfte gegenüber *jr Todt* (A) eine Änderung darstellen, wird doch die gesamte Wendung aus dem Eingang des ersten Kapitels wörtlich am Ende des dritten wiederholt (*jr Todt, euch sey verflucht*). 3,8 *mein säldenhafte* (EH) dürfte gegenüber der für die ›Ackermann‹-Prosa charakteristischen Genitivkonstruktion *meyner selden hafft* ebenso sekundär sein wie 3,16 *wunreich* (EH) gegenüber dem altertümlichen, zudem binnenreimenden *gewdenreich*. Weitere Beispiele finden sich im Lesartenverzeichnis. Konsequenz aus diesem Befund ist die Notwendigkeit, von Fall zu Fall abzuwägen, ob eine Abweichung von der Leithandschrift tatsächlich hinreichend begründet erscheint.

Angesichts der Komplexität der ›Ackermann‹-Überlieferung bleibt die Entscheidung für oder gegen A nicht selten mit Unsicherheiten behaftet. Jeder Herausgeber wird gemäß der modellhaften Vorstellung, die er sich von der Überlieferung bildet, an diesem oder jenem Punkt eine andere Option bevorzugen. Insgesamt dürfte jedoch die hier gebotene Fassung eine historisch mögliche sein und einen Eindruck vermitteln, wie der Text einer Vorstufe von A ausgesehen haben mag.

Nachstehend sind für alle Stellen, an denen Änderungen vorgenommen wurden, und überdies für zentrale Stellen, an denen die Textkonstitution zweifelhaft ist, die Lesarten der wichtigsten Überlieferungsträger angegeben. Vollständigere Variantenapparate finden sich u. a. in den Ausgaben von Bernt/Burdach (1917) und Jungbluth (1969). Die Graphie einer angegebenen Lesart entspricht bei Sammelsigeln (z. B. EHa) immer der an erster Stelle genannten Handschrift. Das Zeichen & verweist wie in der Ausgabe Bertaus (1994) darauf, daß alle weiteren (Haupt-)Textzeugen mit der vorstehend genannten Handschrift übereinstimmen. Das Zeichen ÷ steht für Fehlstellen der aufgeführten Textzeugen.

Ü Jn – anzuvahen *ABa (etwas verkürzt L), keine Überschrift EH.*

1,1 landt *ETk,* lewte *A&*   1,2 mörder ÷ *ABLγ*   1,2 jr *A&,* her *EH*   1,3 tremer *A,* tirmer *HBL,* eurmer *E*   1,5 vnd not *AH*   1,8 ferung *A,* anferung *a,* verserung *EH,* serung *Lγ*   1,11 aptgrünt *A*   1,12 vnd vngunstig fl. *A*   1,17 gedencknüß *AB,* gedächtnüz *E&*   1,17 tawr *EHBγ,* trawr *Aa*   1,17 on ÷ *ABLγ*   1,18 jr wont *EHLγ,* vnd *A*   1,20 gebunden *Ab (dialekt.).*

2,1 nun *A*   2,3 vns ÷ *AL*   2,4 aller *ABL,* allerley *EHaγ*   2,4 ankreutung *A,* ankraitung *BL,* ankratunge *E,* angeratung *H*   2,5 hincz her vol gewesen *A*   2,9 künstenreichen *a,* künstreichen *E&,* ernstenreichen *A*   2,10 ferr *A,* ÷ *E*   2,12 als ob *A*   2,13 f. an döne vnd an reyme *E,* on reymen vnd on döne *H,* ein reim *a,* an reuen *A*   2,15 dones *EBL,* donens *Ha,* deines *A*   2,15 deynem synn *E&,* dienen sein *A*   2,16 Bistu es *A (dialekt.)*   2,16 *wohl* twalung *A*   2,17 vnde ÷ *EBLγ*   2,18 Dann wart *A&,* daworten *E,* den worten *H*   2,20 vnde *aus* vnge *A*   2,21 neme *A*   2,21 sweig *A*   2,23 wol wir] wir wol *ABL,* wellen wir *EH.*

3,2 vnd wone *EH*   3,2 Gehässig *EHa,* Erhessig *AL,* Behessig *B,* hessig *γ*   3,5 freysamligclich *A*   3,5 f. enzücket *HBLa*   3,6 Jch habe *A*   3,8 meyner selden hafft *A,* mein säldenhafte *EH*   3,9 jr hapt ÷ *EH*   3,16 gewdenreich *A&,* wunreich *EH*   3,17 wart *A*   3,18 trank *EHL*   3,21 flut *ELγa,* fluß *H,* flucht *AB*   3,21 genommen geno *A.*

4,3 Beheim *ALa*, Peheimer *EHBγ*   4,7 der erst ÷ *A*   4,10 war
A, was *H&*   4,11 Die *A*   4,11 *nach* wandelfrey] wir mügen wol
sprechen wandelsfrei *nur a (und Tk!)*   4,13 ein gerenmantel vnd
÷ *E*, der selden einen gerenmantel *H*   4,14 Sälde *EBL*, Soldan *A*
4,17 trewe *A*, getrew *EHLγ*.

5,1 Jch h. *A*   5,2 dhein *A*   5,3 frydschrifftschilt *A*   5,3 vnge-
mach wart enweg *ABL*   5,3 warsagendie *AH*   5,4 winschelrute
HEa, schiltdrewte *ABLγ*   5,6 meines h. *E&*   5,8 schymmern
EH   5,8 f. leytvertreiben *A*   5,10 etwas *A*, icht *E*, ichczit *H*   5,11
wider muge widerbr. *A*   5,15 stund vnd die vergyfften mynuten
A   5,15 herter vnd vester schemberlicher d. *A*   5,18 vernewenden
ABLγb, vernewendem *H*, verneutem *E*   5,19 den *AL*   5,19 wer
A   5,20 versinkens *E*, versincken *A&*   5,21 schantgirig *E*, schan-
dengiriger *H*, schandung *A*   5,22 stirbet *A*   5,23 euch ÷ *ABL*.

6,3 *zuerst* zagel os loß *A*   6,3 f. krellet ein kacz e. h. *A*   6,7 be-
gen *A (dialekt.)*   6,9 künste *A*   6,11 sachen *EHB*   6,11 nicht
achtent noch wegent *A*   6,12 vber bose vnd vber gut *A*   6,14 vns
÷ *A*   6,15 Vnd die bilbis *A*   6,17 krucken vnd das *A*   6,21
häusch- *aus* haüß- *A*   6,23 auffsaczs *A&*, al(a)fancz *EHTk*   6,23
oder durch liebs *A*   6,25 nun ÷ *A*   6,28 sage *aus* sagen *A*   6,29
poppemfäles *E*, poppenseles *H*   6,29 reren *A*, varn *E*, reisen *Ha*.

7,2 dann vbl geschähe *E*, wenn vbler g. *H (ähnlich Tk)*, würden
ABLγ   7,4 grossen *A*, grossem *E&*   7,5 wo ich *EH*, das ich *a*,
÷ *ABLγ*   7,5 g.-gab *EHa*, g.-clage *ABLγ*   7,7 Ist mir empflogen
A   7,8 tugenthafte *EHBγa*   7,9 edel vnd g. *A*   7,9 frucht *A*,
schön frütt *E*, schein fruchtig *H*, früt *L*   7,10 gewachsner *EHL*
7,14 weste *A*, west *E*, wisset *HLaγ*   7,17 von ew von ew *EH*
7,18 ewigklich *HBLa*   7,18 f. gotes tirmung *H*, g. eurmung *E*
7,19 zu *vielleicht aus* Thu *verbessert*   7,20 vnd hasse *EHa*, ÷ *ABLγ*
7,20 f. vnd auff erden *A*.

8,1 grunt *Aa*, abgrunt *EHBLγ*   8,6 en(t)worten *A(a)*, daworten
E, den worten *HBL*   8,7 dich du *EH*   8,8 grabs *mit gestrichenem*
s *A*   8,8 seines *A*   8,9 von *EL*, geliden *H*, ÷ *ABa*   8,10 gekletten
E, gklecktem *H*   8,11 f. schuppenzagender *A*   8,12 schupfryger
A   8,12 zuwaschung *AE*   8,14 beleiben ÷ *A*   8,14 niemants *A*
8,15 fressen *E&*   8,15 f. ein tier d. a. ÷ *EH*   8,16 andern *A*   8,18
do ÷ *EHB*   8,19 mit den lebendigen *H&*, ÷ *A*   8,20 vncz *E&*, es
bis *A*   8,20 gewesen ist *A*   8,20 paß *E&*, ÷ *AH*   8,21 clagest sül-
lest *E*, clagest redest vnd was du clagen söllest *H*.

9,1 Unwiderbringelicher *A* 9,1 hochster *A* 9,4 arger *EHa*, argen *B*, argem *L*, armen *A* 9,6 ensprent *A*, entspent *EHB*, entpfringet *L*, enpfrempt *a* 9,7 wann *E*, wenn *H*, von *A* 9,7 dortt *EH*, du *ABL* 9,7 entgelt *A*, engelt *EB*, entgegent *H* 9,8 rainem neste *EHTk*, reinen vesten *ABLγ* 9,9 O *EHTk*, der *ABL* 9,9 gott du *EH* 9,11 bedencken kund *E*, bedecken k. *H*, ÷ *ABLγa* 9,12 geflüchtes *A* 9,13 zart tochter *EH* 9,13 nestlingen *EH*, vestling(en) *AB*, vesticliche *L* 9,13 gunne *HE*, grune *ABL* 9,15 es *A* 9,16 redet *A* 9,17 schonen vnd zuchtigen *A* 9,18 vnd – gabe *HEa*, ÷ *ABLγ* 9,24 tummer man *EH* 9,25 nit *ALγ*, nye *EHBa* 9,27 vnuerdruckten *A* 9,28 Euch *EH*, Du *a*, Sihe *ABLγ* 9,28 sein *ALγ*.

10,2 f. wurcken *EHγa* 10,3 sachen *EHTk*, schanden *ABLγa* 10,4 gegüt *A* 10,6 starkriechen *A* 10,7 vnd ÷ *ALγa* 10,8 vestenden *A* 10,9 f. krafthaben *ABLγ* 10,10 beren ÷ *ABLγ* 10,10 leben *A (dialekt.)* 10,16 vnd vervallen *EH*, vor *AL*, ÷ *Bγa* 10,18 nichte wesen *A*.

11,2 f. vorgenanten *A&*, verwürckten *E*, vorgewürcken *H* 11,3 strengeclich *A*, strenglich *E&* 11,4 f. tr. yr mir vnder valsch tragt *(*valscheit mischt *a)* yr mir ein *Ea*, tr. jr mir vor vnder valsch tragt mit ein *A*, treibt ir mir vor vnder warheit falsch mischt ir mir ein *H* 11,7 vnd ÷ *AB* 11,7 munt *A* 11,9 alle *A* 11,10 meyns jres *A* 11,14 f. widerreichet – trew *nur EH (*widermacht *H)* 11,17 trug sie *ABLγa* 11,17 stettigclyches *A*, stet(e) *E&* 11,17 von *A* 11,18 hantheber *AB*, hanthaber *E&* 11,19 f. Heyl – glucke ÷ *BLγa, in H nach 11,16* hofe 11,22 gib *EH*, gebe *a*, gibtt *ABL* 11,23 Allerhöchster *A* 11,23 gnädichlicher *EH* 11,24 nicht ÷ *EH* 11,26 vergib *EH*, vor *ABLa*.

12,3 vnuerschickenlich *AB*, vnfürsichtiglich *EL*, unuerschuldlich *H*, vnuernufftiglichen *a* 12,4 kunstreiche *A&*, wie künstig vnd wie kunstreich *EH* 12,6 hand *EH* 12,6 abwendig *AL* 12,13 f. vernünfftigclichen oder vnuernünfftigclichen *A* 12,15 dem erttereich *A*, erden *E&* 12,21 vertragen *A*, enthallten *E*, vberhaben *HB*, entladen *aLγ* 12,24 ding vnd lieb *A* 12,25 f. der fr. end tr. i. *E&*, nach *(über der Zeile)* der frewden ist trauren *A* 12,26 vnlust *EHaTk*, verlust *ABLγ* 12,28 lere *A*, lerne *BEa*, leren *HL* 12,28 gaczen *EHa*, sagen *ABLγ*.

13,1 f. e. wol d. b. *EHa* 13,6 so weiß *A* 13,10 nw *E&*, dann *A* 13,18 vnergeczet *E&*, vngebessert *A* 13,18 kunde *EHLγa*

13,21 ichtcz *E&*, nit *A*   13,27 tu *A*   13,27 der ÷ *AL*   13,28 lebens *HLa*, des leben *E*, lebendigs *AB*   13,28 massanen *A*, ma-
nasse/-ie *EH*, massenye *Lγ*   13,30 vnsäglichs *EH*   13,30 waysentumbs *EHTk*, waffentums *ABLγa*   13,31 misstat *A*   13,32 gerecher vnd vertilger *A*.

14,2 Nach – kryeg *nur Ha*   14,2 f. nach feintschaft *nur Ha*
14,3 vnreuwe afterrew *A*   14,8 stolczen *A*, stolczem *E&*   14,9
pester zeit *Ea*   14,10 vnser gnad *E&*, grossen eren *A*   14,13 sterbens *A*, sterben *E&*   14,13 Ee *A*   14,17 war *A*, was *E&*   14,18
ab hier fehlt Hs. E   14,22 f. vnendendiger *A*   14,24 gehessig
Ha   14,26 f. ger. werden *A*   14,28 vnde enthalt *A*   14,30 sen *A*.

15,2 gütig vnd sch. *Haγ*   15,3 den *HBL*, wann *A*   15,3 f. be-
tringent *A*   15,4 ich *A*   15,5 f. vnd schönen *HBLγ*   15,9 geplaget
H&, pflichtig *A*   15,9 f. mißgefarn *A*, mißwürcket *H*, mißgewart
aBL   15,13 f. was – wert *nur a*   15,14 tuchtig *aus* zuchtig *A*
15,18 f. ellenden betrubten *A*   15,19 pfleg *ABLγ*, plage *Ha*
15,19 f. wider vorten *A*, widerrent *H*, widergilt *a*   15,21 f. Herre –
ist ÷ *A*   15,24 alleyn *A*   15,26 vnd alt *A*   15,27 offt *aus* hofft *A*
15,27 hin alle *A*   15,28 Recht *A*, richt *H&*   15,28 recht *Aa*, richt
H&.

16,1 nennen *H&*, heyß du *A*   16,3 vns$_2$ ÷ *AB*   16,3 das *ABLγ*,
des *Ha*   16,6 vnser – rot *nur H* (weiß schwarz *auch Tk*)   16,7
gancz *AB*   16,8 hawet sie *H*, hewt sich *ABa*, haw ich *b*, hawen wir
Lγ   16,11 Vns – rechtuertig *nur H*   16,12 die *A*   16,13 wer
(auch BLγ) wir sein nichts (s. n. *rot durchgestrichen) A*   16,16 sichtig *HBa*   16,16 greyfflich *Ha*   16,19 geschickte oder geschikte
H   16,20 die müssent *A*   16,23 sein *Ha*, werden *ABLγ*   16,23
vnbeschedenlich *A*, vnschedlich *BLγ*, vnbeschreyblichen *H*, vnsichtig *a*   16,24 vant du] wann du *A*, man vns vandt *a*, du ÷ *HBLγa*
16,24 vns *Aa*, vnser figur *HBLγ*   16,24 einen *A*, einem *H&*
16,26 fürent *A*, fürt *H&*   16,33 betrubnüß *A*, bedeutnwß *HBLγ*,
gedechtnusz *a*   16,34 Pitogaras *A*   16,35 an *A*   16,38 *vielleicht*
twint *A*   16,43 vnd waren ÷ *Ha*.

17,5 taychen *A*   17,7 neben recht *AL*, vneben *Ha*   17,8 auß
H&, was *A*   17,10 icht *AB*, sprecht *HLγa*   17,12 dann guter *H&*,
vnd wort *A*   17,15 leip *A*   17,17 gottes *A*   17,17 rechnung *A*,
richtung *B*, auch reichtum *H*, vnd rechtz *L*, vnd erbarmung *a*
17,18 f. der gest. *A*   17,22 uil *H&*, verre *A*   17,23 snöden *nur H*

17,24 wurden *A*, würdet *H&*   17,31 wurrent *A*, wurdt *H*, wart *aBLγ*   17,32 der herren *AB*   17,34 gemort *A*   17,37 Gottes recht *Aa*, Gotes gericht *HLγ*   17,38 gericht *Aa*, gerecht *HBLγ*.

18,5 do dir fr. W. dir *A*   18,6 seń *A*   18,8 leben *A (dialekt.)* 18,12 f. *vielleicht* Solodan *A*   18,13 f. sahen – credenczen *nur Ha* 18,15 *Darjum] darjnn *A*, dar vnder *HL*   18,15 do ÷ *A*   18,18 abentewren obl. *A*, a. kündent obl. *BL*, mit abenteuerlichem disputiren in so gar kunstenlichen obl. *a*, ebentewren disputiren vnd mit kunst jn meisterlichen obl. *H*   18,23 deiner *Ha*   18,25 wurden *ABa*, waren *HLγ*   18,26 jn weuels weiß *H*, vnd wesels weyß *A*, eßels weiß *a*   18,29 heutte *H&*, heyde *A*   18,32 deiner grossen w. *Ha*   18,34 f. Das – getan *nur aH*.

19,7 vntertan sein *Ha*   19,7 leyden vnd auffnemen *Ha*   19,8 aller ding v. *A*, alle ding(e) v. *BLa*, allen dingen widerstreben *H* 19,11 mir mit *A*, mir h. mit *a*, an mir *HBLγ*   19,13 jch *aus* ich *A* 19,13 f. vnh. oder vngl. *A*   19,16 erg. meines schadens *Ha*   19,18 nie *aus* niet *A*   19,19 f. widerbringt vns *A*   19,20 traũwenderin *A*.

20,1 gefestet *A*   20,2 die ÷ *AB*   20,6 seins *A*   20,10 balde vnde ein *A*   20,10 er *Aγ*   20,11 er *Aγ*   20,11 muß *A*, sol *HBLa* 20,18 lauff *A*   20,18 lebend *A*, mit leben *HBL(aγ)*   20,20 anerbt *a*, angeerbt *HBLb*, arbeyt *A*   20,22 als schier als *AB*   20,26 allen ÷ *A*   20,34 schenen *aus* scheynen *A*   20,34 ist$_2$ ÷ *ABL*   20,36 f. wann es *H&*, das *A*.

21,1 Gvte *H*, Mit *ABL*   21,3 euch *A*   21,5 jm *A*   21,8 sullen *AB*, sölle *H&*   21,11 wibber *A*   21,13 *Doch] das *A&*   21,18 f. vernunfftigen *A*   21,25 noch *H&*, vnde *A*   21,25 aynsten *A*, ainst *B*, eins *H*, einest *a*.

22,3 er t. *A*   22,4 Seint den malen *H*   22,5 zollen (vnd vermautten *Ha*) müssen *HaBLγ*, zoll müssen geben *A*   22,5 wirdestu *A* 22,8 wyr *aus* wer *A*   22,11 hast *A*   22,12 dir zu v. *HLγ*   22,15 es ÷ *A*   22,17 jerlich *A*, ieglich *B*, nemlich *HLγa*   22,18 richten noch huten *A*   22,20 vorgende *A*   22,23 ist ein(es) a. *AB(a)* 22,25 nit *nur Ha*   22,29 nit *nur Hγ*   22,31 dem ÷ *AB*   22,31 auß den *H*, auß dem *a*, ÷ *AB*   22,32 leibes *A (dialekt.)*   22,37 f. nach – herczenleid *H&*, ÷ *AB*   22,38 herczenleyt ÷ *HLa*   22,43 pyckel *H*, kupferbickel *a*, pitel *AB*.

23,3 du *A*   23,4 l. vnde w. *Aa*   23,4 vertreyben *A*   23,7 jn *H&*, zu *A*   23,8 weczeraffen *A*   23,9 alle zuchtige *A*   23,10 rede

aus erde *A*   23,12 etweder *A*   23,12 allwegen *A*, allczeit *H&*
23,14 dann *H&*   23,15 Gut – ein *a&*, ÷ *A*   23,25 das *AL*, des
HBγa   23,27 f. leiplichen *a*, lieplichen *A&*.

24,2 weisen *A*, weisem *H*, wise *LB*, wiser *γ*   24,4 Vnser – nit
HBLγa, vnd *A*   24,5 nu dir *A*   24,8 wann *A*, wan si *B*, dann sy
HLγa   24,10 sein *AB*, gesein *HLγa*   24,13 *vielleicht* leyben *A*
24,13 ein ÷ *A*   24,17 lochereten *A*, locherte *HBa(L)*   24,20 totenschein *ABLγ*, tockenschein *Ha*   24,22 ganczgewurcks *A*   24,23
seynen *AHBb*, seinem *Lγ*   24,28 schönsten *Ha*   24,30 kurcztau-
rende] -trurende(n) *A(L)*, -trurent *B*, -trauerenden *a*, -werenden
H   24,31 erdenknoll *A*, erdenknollen *H&*   24,33 hende *A*
24,34 kroñ *A*   24,36 eseldorff weyser *ABLHa*   24,36 gotünck *A*.

25,1 schandensack *HL*   25,2 vnd *nur Ha*   25,6 das das *A*
25,8 menschen *nur Ha*   25,9 jm *H*, jm jn *A*, die jme *L*, im die *γ*
25,11 vogel *A*, vogeln *H&*   25,12 süllen *A*   25,18 vngemeyligter
A, vngemalter *B*, gemailter *HL*, vnd vnnutzer *γ*   25,23 geist jn
H&, ÷ *Aγ*   25,27 f. behendes des *A*   25,28 würckes- *A*, wirkens-
B, werckstück *HLγa*   25,30 aller *A*   25,32 f. das hymmelsclare
A&, des himels clar zirckel *H*   25,33 sere *ABLγ*   25,37 geende
Ha, mitgeenden *A(L)*   25,45 ferre ÷ *A*   25,46 cleymet] klymet
HBLb, cleyner *A*   25,48 Es *A*   25,48 leyplich *A*   25,49 gleycht
A   25,52 jn *AB*, jm *H&*.

26,3 nur *Aa*, nu *HBLγ*   26,5 müst *A*   26,5 er *ALγ*   26,6 f. be-
zucket *A*   26,12 verdackten vnd verdachtem *A*   26,15 rechts *A*
26,17 nicht do *ABL*   26,23 der weyßheyt der weyßheyt *A*   26,23
natuerlichen *AB*   26,26 mancherleyen *A*   26,27 der ÷ *A*   26,31 f.
oberlendischer *A*, oberlendischen *B*, aller lenndischer *HLγ*   26,32
kauffes *ABLγ*, lauffes *H*   26,33 Geromancia *A(L)γ*   26,33 vns *A*
26,33 des teners *H*, dewten wes *A*, tetten jrs *BLγ*   26,33 kreissen
HBL   26,35 zwingerin *nur H*   26,36 Alchimia – ver- *nur H*
(aber nach 26,38 besweren)   26,37 jren,] jrem *H*   26,39 inkünsti-
ger *A*   26,39 Aruspex *B*, Arusper *A*, Aurusper *H*   26,40 czukunst
A   26,40 außrichtende *A*   26,42 *aurhenne *derme] durch enne
dermig *A*, durchenderin *B*, durchlüplerin *HL*   26,43 do nicht *Ha*,
nit do *ABLγ*   26,43 vorsprechung *Aa*, fürsprechung *BHL*, versprechung *bγ*   26,44 worten vnd vrteyln *A*.

27Ü octauum *A*   27,2 gepietende *A*   27,2 lere *A&*, lerer *H*
27,3 geduldt *A*   27,10 dem *A*, den *H&*   27,12 Rant *A*   27,16

vest *A* 27,18 f. die weil leben *A*, d. w. loben *B*, d. w. lebende *H*
27,21 Einen *A*, Ain *B*, Einem *H*, Einē *a* 27,22 vnd nach eren z. tr.
*HL*γ 27,24 nit jr *A* 27,28 den *HL*γ, wen *Ba*, wann *A* 27,30
T(h)ut *Ha*γ, thu *ABL*.

28,1 fürbaß *A* 28,5 elichem sa *mit gestrichenem* a *A* 28,8
hantslang *A* 28,8 anhab *A* 28,10 roßfeigen oder ein roßfeyln
A 28,15 er ÷ *A* 28,16 alles tages *A* 28,19 *nach* gesunt zu] arbeit gesunt zu wulust *A* 28,22 thuen – ding *H&*, ÷ *A* 28,23 Das₁
– sawer *nur Aa* 28,25 icht *ABL*γ, ichts von jr *Ha* 28,26 gedreet
Ha, geredt *ABL* 28,28 werden *nur Aa* 28,28 der *nur Ha*
28,29 gütig oder sch. *HBL*γ 28,32 trefflich *A* 28,33 *vielleicht*
aufseczung *A* 28,33 muffeln *A*, murmeln *HL*, wurfln *B* 28,34
grawe *A*, gawe *B*, grawen *Ha* 28,35 cleydes *A* 28,36 nach *A*
28,38 biderben *H&*, erbarn *A* 28,40 Wisse *H&*, Ich weyß nicht *A*.

29,1 L]eber fr. *A* 29,9 sollichen warheyten *A* 29,12 *nach* kein]
zú macht *gestrichen A* 29,12 f. kan – zucht *a*, mag wesen sie sey
dann m. fr. z. gemeistert *H*, ÷ *A* 29,14 kewsches schones *A*
29,17 gefrewet *A* 29,20 dinsten *A*, dinst *H&* 29,21 anen mit r.
*ABL*γ 29,23 schaffen ÷ *A* 29,23 jn das *A* 29,23 f. geschiht
÷ *A* 29,25 *vielleicht* fingerdrouen *mit verkleckstem* u *A* 29,26
frumen m. H*B*, frauwen m. *AL* 29,28 vnde bley *A* 29,32 brige
A, kriege *H*, berg *a*.

30,1 kot *A*, köten *HL(B)*, horn *a* 30,3 hewser werrn *A* 30,4
einer *A* 30,6 was *AB*, das *HL*γ*a* 30,9 der *AL* 30,11 geyrung
v. geytigkeit *ABL*, geitigkeit *Ha* 30,11 die wollust macht vnkew-
scheit] vnde vnkewscheit *A*, die wollust macht geittigkait vnd vn-
keüschait *B*, d. w. macht vnkeusch *HL*γ 30,12 der *AB* 30,12
*Von] das *AHBL*γ 30,16 dañ *H&*, dannen *A*, danne *L* 30,19 bekommert mit dir *A* 30,20 Pryamum *Ha*, Pyramyn *A* 30,29
Dauid *HBL*γ, darvmb *A* 30,33 herr(e) *a(H)*, herre vntz vßgang
der welt *B*, ÷ *AL*γ.

31,1 verteylt *A*, verurteylt *aBL*γ, vrteilt *H* 31,9 sullen alle *A*
31,9 f. vnd – ennde *nur Ha* 31,12 hymeln *A* 31,16 krochen *Aa*,
krachen *HBLb* 31,21 halt *ABL* 31,21 geschafft *AB* 31,22 ge-
rechent *A* 31,23 gott vnde jugent *A* 31,24 got alle ding *HL*γ*a*
31,24 hat *A* 31,25 soll *AL*γ 31,27 bereung *A* 31,28 ewigkeyt
H, ewer kinde *ABL*γ, vrkund *a* 31,30 würkung – wanckelrede
nur H.

32,1 f. dann die rede *A*   32,3 tempfell *A*   32,5 auch auff *A*
32,7 erfür *A*   32,8 hinhinder *HBLa*, herwider *A*, herhinder *γ*
32,12 bestendung freunden zu veinden *A*   32,14 nu *H&*, jm *A*
32,17 vnd jr gut *A*   32,18 einem ÷ *A*   32,18 eugen- *aus* eygen-
A   32,20 schaten *γLb*, schaden *AH*, schad(e) *B(a)*   32,21 wa *A*
32,21 f. haben auff erden *A*, a. e. h. *H&*   32,24 guts willen *nur*
Ha   32,24 durchgründen *nur a*   32,24–46 jn regen – jn trawern
in allen Textzeugen aufgrund der Vertauschung eines Doppelblattes
im Archetyp nach 33,4   32,24 f. jn winden *A*   32,26 slecht stollen
Ab, schecht st. *a*, sl. schollen *Lγ*, grossen herrn velt solten pawen
H   32,26 f. jn der e. *A*   32,27 durchgegraben *A*   32,27 adern
durch graben vnd durchgrapauwen *A*   32,30 zeunen *a*, zewn *H*,
zu wünen *A*, zime *BL*   32,34 zu h. *A*   32,39 Alles ÷ *A*   32,42
beraubet *A*   32,45 wetagung *A*   32,45 f. siechtum *A*   32,46
jn *nur H* (*dort* jn aribeyt | betrwbnüsse, *getrennt durch Blattverset-*
zung)   32,48 mensch *A*, man *HLγa*   32,50 genissen noch gewissen *A*   32,57 clage *AL*, clagen *H&*   32,58 f. brechen *A*   32,59
kere wider von *A*   32,60 tue *HBLa*, such *A*   32,61 Vor *A*   32,62
die *A*.

33Ü Des – vrteil *H*, Des ackermanns widerrede *A*   33,2 hanthaber *H&*   33,3 zwyfürsig *A*, zwitrechtig *HBγ*, zwistossig *a*, zwyfe-
lig *L*   33,4 mit seiner *H*, *a (nach 33,5 sein)*, ÷ *ABLγ*   33,4 wol
A   33,5 sein ÷ *A*   33,5 quicke *A*   33,6 mach *A*   33,8 weyde *A*
(dialekt.)   33,9 aller *A*   33,11 rümpten *B*, rvmten *HLγa*, rumpf-
ten *A*   33,12 sich aber *A*   33,12 gewelter *Aa*, gewaltiger *HBLγ*
33,13 rumpffen *A*, rümpten die yn von got verlihen was *H*   33,13
Ebengeleich *H*, ewigclich *ABLa*   33,13 beyder *A*   33,14 wonde
A   33,15 jm von *Hb*   33,15 wer *Bb*, weren *A*, sey *H*   33,16–18
die – herschafft ÷ *Hγ*   33,19 *nach* hat] sunder von vns zu lehen *nur*
H   33,20 diese *A*   33,21 weyßheyt *Aa*, warheit *Hbγ*   33,22 hab
ere *Ha*, la herre *ABγ*.

34Ü der r. b. der grossen nennet als der cl. *A*, die großen roten
buchstaben die nennen den clager *a*,   34,2 aller herren *A*, ob allen
h. *Haγ*   34,4 guttet *A*, gutheit *H&*   34,10 alle *A*   34,13 i. d. begynnuß *A*, i. d. anbeginnisse *B*, von anbeginne(n) *Ha*   34,16 Heil
a*γ*, O heyl *ABH*   34,16 weg *Ha*, ÷ *ABγ*   34,18 warheit *aH*, ÷
ABγ   34,19 die *nur a*   34,22–44 jn allen krefften – widerfuller *in*
allen Textzeugen aufgrund der Vertauschung eines Doppelblattes im
Archetyp nach 34,66   34,26 f. allen enden ÷ *A*   34,28 leib ÷ *ABa*

34,28 cruft *HBa*, grunt *A*   34,28 selbmuger *AB*   34,29 aller worheit liebhaber *H*, alte welt w. *A*   34,30 f. aller rechten *AB*, allein rechter *Ha*   34,31 anefangs *A*   34,31 allen *A*   34,32 weichen *aus* weicher *A*   34,32 erhöre mich ÷ *A*   34,34 wesens *AB*   34,34 alle *A*   34,39 außguß *A*   34,40 rechter vnd zusammenhalter aller mittel vnd zirckelmaß *A*, r. v. z. mittel aller z. *B*, recht vnd zusammenhaltender m. a. z. *H*, m. a. z. *a*   34,44 satung ÷ *H*   34,45 f. des h. des armoney *A*   34,51 nymmer nymmer *A*   34,53 O ewige *A* 34,56 vnterstetigkeyt *AB*   34,59 f. mitprauchung *ABγa*, mitwürkung *H*   34,65 leytter *Aa*, fürer *HB*   34,66 ververt *A*, jrr wirt *HBa*   34,69 der *A*   34,70 vnd entwerffen *A*   34,71 f. wirdigister *A*   34,74 deiner *Hγ*, deinen *A*, deinē *B*   34,78 ewigen seligen *H*, obenselig *AB*   34,79 Margaretha *Aγ*, Margret *HBa*   34,81 f. besehen *A*   34,86 *nach* jnnigkeit] meines herczen vnd ganczer begird *nur A*   34,86 *nach* Amen] Et sic est finis Huius operis *A*.

Der Text des Begleitschreibens an Peter Rothers ist, mit einigen Entstellungen, in einer Handschrift der Universitätsbibliothek Freiburg (Cod. 163, f. 96ᵛ/97ʳ) im Rahmen einer Sammlung von Briefmustern überliefert. Die genaueste Ausgabe, mit Markierung der abgekürzten Stellen, findet sich bei Bertau, Ausgabe, S. 3–6 (Kommentar, Bd. 2, S. 39–55), ein Faksimile bei Kiening (1998), Abb. 2/3. In Anbetracht der unikalen Überlieferung werden nur offensichtliche Schreibversehen verbessert, Abkürzungen aufgelöst und Interpunktionszeichen gesetzt, aber keine Normalisierungen vorgenommen.

Ü dictato, *nicht notwendig* dictatu (*Bertau*)   1 topla   2 pragensis ciui zacensi   4 vniuit *mit wohl versehentlichem Haken über* v *und eingefügtem zweiten* i   4 memoriam   5 qui   8 est   8 tetunico *mit Haken über* u (*vielleicht verkehrte Einfügung*) 10 jnuecco *mit Abkürzungszeichen für* i (*nicht berücksichtigt bei Bertau*)   12 exprimuntur, *nicht* exprimitur (*Bertau*)   16 illi 18 serie   21 utrumque   22 f. jndeˡⁱ   23 intuentus   24 nos 24 sterile   25 Iohlini *mit kleinem Bogen über* i   26 alupnum 26 taquam *mit Abkürzungsstrich über* a (*nicht berücksichtigt bei Bertau*).

Kommentar

Im folgenden werden vor allem jene Stellen erläutert, die Verständnisprobleme aufwerfen oder einer Kenntnis des Traditionshintergrunds bedürfen. Weitergehende Hinweise bieten die Kommentare zu den Ausgaben von Bernt/Burdach (1917), Jungbluth (1969/83) und vor allem Bertau (1994).

Ü Die Überschrift (in ABLb), die den Text formal und inhaltlich gut charakterisiert, mag von Johannes von Tepl stammen. Andere Akzente setzen die Drucke seit etwa 1470, indem sie die Nützlichkeit des Büchleins als Trostschrift hervorheben und die Überschrift mit einem Titelholzschnitt kombinieren.

1. Kapitel

1,1 f. *tilger ... ächter ... mörder:* bereits im ersten Satz eine der für die ›Ackermann‹-Prosa typischen Konstruktionen von drei parallelen Satzgliedern. Die formal-rhetorische Modernität des Spiels mit den verschiedenen Teilen des komplexen Satzes betont der Autor in seinem Brief an den jüdischen Freund Petrus Rothers in Prag (Begleitschreiben, Z. 16 f.: *Illic currunt cola, coma, periodus modernis situacionibus*; »Hier eilen dahin Satzglieder, Satzteile und Satzgefüge in neuartigen Formen«).

1,3 *tremer (tirmer/termer,* in A mit metathetischem /r/; Mhd. Grammatik, S. 144, § 122) begegnet als Substantiv zur Bezeichnung Gottes als Schöpfer anscheinend nur im ›Ackermann‹; zugrunde liegt das sw. Verb *tirmen/termen* (lat. *terminare*).

1,8 *ferung:* mhd. *værunge* ›Bestrafung, Strafe‹.

1,11 *aptgrunt:* epithetisches /t/, schon im klassischen Mhd. geläufig (Mhd. Grammatik, S. 161, § 149), dann im Egerländischen verbreitet (Emil Skála, Die Entwicklung der Kanzleisprache in Eger 1310–1660, Berlin 1967, S. 181 f.: »verweilende Artikulation«), verwendet der Schreiber häufiger.

1,14 f. *vnwiderbringenden swersten acht:* Daß der Tod, zunächst selbst als *ächter* (1,1) tituliert, von Gott geächtet werden soll, gehört zu der das ganze Kapitel durchziehenden Vorstellung, das vom Tod Verursachte möge auf ihn selbst zurückschlagen (zum unwiederbringlichen Verlust des Ackermanns s. 5,11; 9,1).

1,18 *geraw:* ›Grauen‹, mit Sproßvokal nach anlautendem /g/; Grammatik des Frühnhd. I,1, S. 299 f. (§ 42.1).

1,19 *Von mir:* Erst gegen Ende seiner ersten Rede setzt der zunächst anonyme Kläger ein Zeichen seiner Subjektsposition.

1,20 *zetter . . . henden:* Zum *gerüfte,* mit dem nach mittelalterlichem deutschen Recht ein Geschädigter seine Klage öffentlich zu machen hatte, gehörte auch das Zeterschreien *mit gewundin hendin;* ›Mühlhäuser Rechtsbuch‹ (hrsg. von Herbert Meyer, Weimar ²1934) 4,1; Handwörterbuch zur deutschen Rechtsgeschichte 1 (1971), Sp. 1584–87; Lexikon des Mittelalters 4 (1989), Sp. 1357. Der Rechtsgestus (s. auch 2,3 f. und 5,13) wird im ›Ackermann‹ allerdings eher verbal beschworen als szenisch vorgeführt.

2. Kapitel

2,1 *Hort, hort, hort:* Auf das Stilmittel der Ironie weist der Begleitbrief hin (Z. 19: *yrronia sorridet,* »Ironie lächelt«); s. auch Jaffe (1978).

2,2 *tayding* (auch *tageding*) ›Anspruch, Forderung, Streit, Gerichtstag‹; Jelinek, Mhd. Wörterbuch, S. 709 f.

2,2 f. *ist vns zumale fremde:* Die gleiche Unschuldshaltung inszeniert Philosophia im Gewand der Fortuna in der ›Consolatio philosophiae‹ des Boethius (hrsg. und übers. von Ernst Gegenschatz und Olof Gigon, Darmstadt 1984) 2 p. 2,3–5: *Quid tu, homo, ream me cotidianis agis querelis? quam tibi fecimus iniuriam? quae tibi tua detraximus bona?* (»Wessen, o Mensch, beschuldigst du mich mit deinen täglichen Klagen? Welch ein Unrecht haben wir dir getan? Welche Güter haben wir dir entzogen?«).

2,4 *ankreutung:* wohl zu verbinden mit dem mitteldeutsch belegten Substantiv *krot/krut* ›Belästigung‹; andere Textzeugen zeigen Verständnisschwierigkeiten mit dem vielleicht neugebildeten Wort.

2,6 *lautmer: lautmaeren* ›kundbar machen‹, rechtssprachlich, zumal im Nürnberger Raum; vgl. Jelinek, Mhd. Wörterbuch, S. 449; Ludwig Erich Schmitt, Die deutsche Urkundensprache in der Kanzlei Kaiser Karls IV. (1346–1378), Halle a. d. S. 1936, S. 116.

2,10 *vber den rein hant gegraset:* Die wohl sprichwörtliche Wendung ist anderweitig nicht belegt; Bertau, Kommentar, S. 82, weist auf möglicherweise verwandte tschechische Redewendungen hin.

2,13 *an:* âne ›ohne‹.

2,13 f. *an döne vnd an reyme:* Behauptet wird hier eine höhere affektive Authentizität der Prosa- gegenüber der Versform, obschon der ›Ackermann‹ im ganzen der jüngeren Lied- und Spruchdichtung (Frauenlob, Heinrich von Mügeln), die *doenen* und *singen* pries, stilistisch durchaus verpflichtet ist; vgl. Hübner (1935/68), S. 285 u. ö. In Heinrich Wittenwilers ›Ring‹ (nach dem Text von Edmund Wießner übers. und hrsg. von Horst Brunner, Stuttgart 1991) begegnet ein ähnliches Argument zum Abschluß der Ehedebatte (V. 3519–22): *Ir habt gereimet und geticht: / Chluogeu sach wil reimens nicht; / Wer mag ein disputieren / Mit gmessner red florieren?*

2,17 *verzewhe:* vom st. Verb *verziehen* ›warten, zögern‹.

3. Kapitel

3,1 f. *von vogelwat ist meyn pflug:* Mit dem Bild eines Pfluges, der vom ›Vogelkleid‹ stammt, präsentiert sich der Kläger als nicht konkreter, sondern metaphorischer Ackermann, nämlich als Mann der Feder. Diese Schreiber- oder Autorrolle ist transparent für den historischen Autor Johannes von Tepl, der in seinem Begleitschreiben das rhetorische Spiel des Textes hervorhebt, sie impliziert jedoch nicht notwendigerweise eine Tatsächlichkeit des im Text verhandelten Trauerfalles. Die Parallele von schreiben (*scribere*) und pflügen (*arare*) geht auf die Antike zurück; zu verschiedenen Aspekten der Metaphorik Jürgen Schulz-Grobert, [...] *die feder mein pflug.* Schreiberpoesie, Grammatik-Ikonographie und das gelehrte Bild des ›Ackermann‹, in: Autor und Autorschaft im Mittelalter, hrsg. von Elizabeth Andersen [u. a.], Tübingen 1998, S. 323–333. Zur Bedeutung der Acker-Motivik bei Johann von Neumarkt Hergemöller (1999), S. 110–113.

3,2 *jn Beheymer lande:* Aus dieser Stelle wurde der in der Moderne geläufige Titel ›Ackermann aus Böhmen‹ abgeleitet; als *ackerman von böhem* erscheint der Kläger jedoch erst in der vom ursprünglichen Entstehungsraum entfernten alemannischen Überlieferungstradition (Basel: Flach, 1473, f. 1ʳ).

3,4 *zwolfften buchstaben:* Nur der Anfangsbuchstabe (M, im mittelalterlichen, i und j nicht unterscheidenden Alphabet) des Namens
der Verstorbenen wird an dieser Stelle kryptonymisch angedeutet, der volle Name erscheint erst im Schlußgebet (34,79).

3,6 *meyner wunnen licht somerblumen:* Die »durch das Possessiv-
pronomen erweiterte Genitivumschreibung (Metapher mit ab-
hängigem Abstraktbegriff im Genitiv)« hat ihre Wurzeln im geblümten Stil der deutschen Spruchdichter; Palmer (1998), S. 314;
vgl. auch Michael Stolz, ›Tum‹-Studien. Zur dichterischen Gestaltung im Marienpreis Heinrichs von Mügeln, Tübingen/Basel
1996 (Register).

3,8 *turckeltawbe:* »Die Turteltaube gilt der christlichen Tierlehre
von Alters her als Symbol von Reinheit, Keuschheit und ehelicher
Treue« (Bertau, Kommentar, S. 102); auf die wechselseitige Treue
des Turteltaubenpärchens bezieht sich auch das Bild des auf einem dürren Ast Sitzenden am Ende des Kapitels. Zur Tradition:
Bernt/Burdach (1917), S. 185–195; Palmer (1998), S. 316 f.

3,17 f. *schabe abe:* Imperativ des st. Verbs *abschaben* ›sich schnell
entfernen, sich fortscheren‹ (Jelinek, Mhd. Wörterbuch, S. 5 [nur
dieser Beleg]), ›abkratzen‹ (Krogmann, Ausgabe, S. 181).

3,19–22 Das Leiden auf dem Meer des Lebens beschreibt auch Petrarca in seinem ›Secretum‹ (hrsg. von Enrico Carrara, Turin
1977, S. 42): *Et ego, in mari magno sevoque ac turbido iactatus,
tremulam cimbam fatiscentemque et rimosam ventis obluctanti-
bus per tumidos fluctus ago. Hanc diu durare non posse certe scio
nullamque spem salutis michi video [...]* (»Und ich, auf dem großen, wilden und stürmischen Meer hin- und hergeworfen, führe
den schwankenden, rissig werdenden und brüchigen Nachen gegen die anstürmenden Winde durch die anschwellenden Fluten.
Ich weiß sicher, daß er nicht lange durchhalten kann, und erkenne, daß mir keine Hoffnung auf Rettung bleibt [...]«); Palmer
(1998), S. 317 f.

4. Kapitel

4,2 *begeint:* kontrahierte Form von *begegenet.*

4,5 *nun newlich:* Zwischen dem Datum des Ereignisses, von dem
der Wortstreit seinen Ausgang nimmt (s. 14,17–19), und jenem des
Wortstreits selbst ist also keine zu große Zeitspanne zu denken.

4,7 *vier buchstaben:* Sacz (mittelalterliche Schreibweise), nhd. Saaz, tschech. Žatec, oberhalb der Eger gelegen; Darstellungen einer *vesten hubschen stat auff einem berge* bieten die Titelholzschnitte der Drucke Ulm: Holl, um 1482/83; Heidelberg: Knoblochtzer 1490; Leipzig: Kachelofen, um 1490; vgl. Kiening (1998), Abb. 29/30.

4,13 f. *fraw Ere / fraw Sälde:* In Übereinstimmung mit dem rhetorischen Buchstabenspiel erfolgt eine weitere indirekte Vergegenwärtigung der Verstorbenen (s. auch 11,15–17), nun vor dem Traditionshintergrund der im späten Mittelalter verbreiteten Personifikationsallegorien; *êre* (›Ansehen, Hochschätzung‹) und *saelde* (›irdisches und überirdisches Glück‹) erscheinen in der mhd. Literatur stereotyp verbunden.

4,13 *gerenmantel:* wohl ein unten mit keilförmigen Zierstücken, Zwickeln besetzter Mantel; s. Jelinek, Mhd. Wörterbuch, S. 287 (*gêr*); Ursula Schulze, Was ist ein ›gerenmantel‹? (›Der Ackermann aus Böhmen‹ 4,11–13), in: Zeitschrift für deutsches Altertum und deutsche Literatur 101 (1972) S. 280–284.

5. Kapitel

5,1 *amey* (zu frz. *amie*) begegnet in der höfischen Literatur häufiger als Bezeichnung für die/den Geliebte(n).

5,3 *frydschilt* (in A entstellt) erscheint in der Tradition – z. B. der Lied- und Spruchdichtung – ebenso wie *winschelrewte* (5,4; in A ebenfalls entstellt) verschiedentlich als Marienprädikat; vgl. Anselm Salzer, Die Sinnworte und Beiworte Mariens in der deutschen Literatur und lateinischen Hymnenpoesie des Mittelalters, Linz 1893, Nachdr. Darmstadt 1967, S. 546, 504 f. Auch andere der im folgenden die Verstorbene preisenden Metaphern (Sonne, Morgenstern, Banner, Diamant) begegnen in Marienliedern (vgl. Salzer, Register).

5,20 *jnneriges:* wohl graphische Variante für *jmmeriges* ›immerwährendes‹, vielleicht aber auch eine Neubildung zu *inner* oder *innig* ›innerlich‹. Die Genitivkonstruktion *jnneriges versinckens* begegnet nur in E, bleibt also in ihrer Authentizität unsicher. Die Stelle mag frühzeitig gestört worden sein.

6. Kapitel

6,1–4 *Ein Fuchs ... wollt:* Die drei Sprichwörter sind vor dem ›Akkermann‹ nicht nachgewiesen; spätere Belege bei Jungbluth, Kommentar, S. 47 f.

6,6 *glawbe:* auslautendes /-n/ fehlt in der 1. Pl. bei nachgestelltem *wir* häufiger; Mhd. Grammatik, S. 242 (§ 240 Anm. 2).

6,10 *gab, liep, leydes:* Im Hintergrund steht ein Rechtsgrundsatz, den der ›Deutschenspiegel‹ (hrsg. von Karl August Eckhardt und Alfred Hübner, Hannover ²1933) formuliert: *swer durch liebe oder durch leide oder durch gâbe oder durch vriuntschaft oder durch vîntschaft iht anders rihtet danne alse ditz buoch saget, daz ist wider got* (80,11–14).

6,13 *meyster:* Magier oder Nekromanten (s. 26,34); der Satz spielt im Sinne einer *aequivocatio* (vgl. Begleitschreiben, Z. 15 f.) mit zwei verschiedenen Bedeutungen von *geyst* (›Lebensgeist‹, ›Geistwesen‹).

6,15 *bilbis:* im Spätmittelalter in der Regel weibliche, nachts umherziehende Dämonen, die anscheinend, wie Perchten und Hollen, erst im 15./16. Jahrhundert im Zuge der Ausgestaltung der Hexenidee eindeutig negative Züge erhielten; vgl. Will-Erich Peuckert, Deutscher Volksglaube des Spätmittelalters, Stuttgart 1942, Nachdr. Hildesheim 1978, S. 108–112; Claude Lecouteux, Der Bilwiz. Überlegungen zu seiner Entstehungs- und Entwicklungsgeschichte, in: Euphorion 82 (1988) S. 238–250.

6,16 f. *reitten auff den krucken:* Die Vorstellung von übernatürlichen Flügen war schon vor der Zeit der Hexenverfolgungen verbreitet; kurze Zeit nach dem ›Ackermann‹ ist sie aus kritischer Perspektive bezeugt bei Hans Vintler, ›Die Pluemen der tugent‹ (hrsg. von Ignaz von Zingerle, Innsbruck 1874), V. 7993–95: *so varen etleich mit der var / auf kelbern und auf pöcken / durch stain und durch stöcken.* Bis ins 15. Jahrhundert hinein gab es Stimmen, die wie Vintler den Flug auf Gegenständen oder Tieren als Wahn und nicht als Realität einstuften – in Zürich wandten sich Ende des 14. Jahrhunderts »Predigten gegen die Frauen, die glauben, mit der Diana zu fahren«; Joseph Hansen, Quellen und Untersuchungen zur Geschichte des Hexenwahns, Bonn 1901, S. 633 f. u. ö.; Siegfried Leutenbauer, Hexerei- und Zaubereidelikt in der Literatur von 1450 bis 1550, Berlin 1972, S. 18–38; Wolfgang Ziegeler, Möglichkeiten der Kritik am Hexen- und Zauberwesen im ausgehenden Mittelalter, Köln/Wien 1973, S. 34–60 (zu Vintler).

6,17 *erczt:* Daß auch die professionellen Heiler dem Tod nichts entgegenzusetzen haben, ist ein traditionelles Motiv der Todesdidaktik; vgl. ›Vado mori‹, Pariser Fassung (hrsg. von Hellmut Rosenfeld, in: H. R., Der mittelalterliche Totentanz. Entstehung – Entwicklung – Bedeutung, Köln/Wien ³1974, S. 324), V. 27 f.: *Vado mori, medicus, medicamine non redimendus.* / *Quidquid agat medici pocio: vado mori* (»Sterben muß ich, der Arzt, der durch Kräuter sich nicht loskauft. / Was nutzt des Arztes Trank? Sterben muß ich«); Bildbeispiele bei: Werner Block, Der Arzt und der Tod in Bildern aus sechs Jahrhunderten, Stuttgart 1966.

6,21 *rechnung:* Der Tod bringt den Gedanken ins Spiel, daß er sich wie Gott für sein Tun zu rechtfertigen vermöchte, weist ihn aber angesichts »der evidenten Uneinsichtigkeit der klagenden Opfer« sofort wieder zurück; Bertau, Kommentar, S. 149.

6,22 *wurden sie:* wohl nicht 3. Pl. Präs., sondern 1. Pl. mit fehlendem Subjektpronomen *wir;* Mhd. Grammatik, S. 365–367 (§ 399); Bertau, Kommentar, S. 150.

6,27 *jnfel:* aus lat. *infula* ›Bischofsmütze‹.

6,29 *Papenfels:* vielleicht Anspielung auf den Ort in Avignon, an dem sich der Papstpalast befand; Bertau, Kommentar, S. 152. In anderen Handschriften (*poppemfäles* E, *poppenseles* H) scheint die ungewöhnliche Bildung mißverstanden worden zu sein.

6,29 f. *hawe nit … die augen:* Der Schlußsatz hat wie der Kapitelanfang proverbialen Charakter; Nachweise bei Jungbluth, Kommentar, S. 54.

7. Kapitel

7,4 *grossen layde:* /-en/ statt /-em/ im Dativ des Adjektivs bei Maskulina und Neutra ist im Mitteldeutschen und zumal in der Sprache der Prager Kanzlei und der Reichskanzlei geläufig; vgl. Schmitt (s. Anm. zu 2,6), S. 65 (§§ 102, 104); Skála (s. Anm. zu 1,11), S. 200, 202; Grammatik des Frühnhd. VI, S. 157–159.

7,7 *valcke:* Der Vergleich des/der Geliebten mit einem Falken ist aus dem Minnesang und aus spätmittelalterlicher Lieddichtung bekannt; Belege bei Jungbluth, Kommentar, S. 55 f.

7,10 *person* kann sowohl die Person im allgemeinen wie die Gestalt im konkret körperlichen Sinne meinen.

7,15 *zusuchen:* mhd. *zuosuochen*, sw. Verb, ›beimessen, vorwerfen‹, rechtssprachlich.

8. Kapitel

8,1 f. Die Aufteilung der Regionen, die sich nicht explizit auf Endzeitliches bezieht, bringt besonders pointiert den Machtanspruch des Todes zum Ausdruck, den das Schlußurteil korrigieren wird; traditioneller wäre demgegenüber der Gedanke, der Tod bewirke eine Scheidung von Guten und Bösen – so z. B. in der um 1400 im Prager Raum verbreiteten ›Visio Polycarpi‹ (hrsg. von Zatočil, 1977), S. 18: *Ego enim, ut sepius iam dixi, dominor universis: bonos transferendo in regnum celorum, malos in infernum* (»Ich nämlich, wie schon mehrfach gesagt, beherrsche das Weltall, indem ich die Guten ins himmlische Reich, die Schlechten in die Hölle befördere«).

8,4 *klas:* mhd. *klôz* ›Klumpen, Masse, Kugel‹; /a, â/ für /o, ô/ ist seit dem 12. Jahrhundert im Bairischen geläufig; Vigil Moser, Frühneuhochdeutsche Grammatik I,1, Heidelberg 1929, S. 133 f. (§ 73).

8,6 *enworten:* Substantiv-Adverb zur Kennzeichnung einer wörtlichen Vereinbarung mit rechtlichem Charakter, geläufiger sind die Formen *den worten, doworten, deworten*; Bertau, Kommentar, S. 171 f.

8,6 f. *vberflüssigkeyt außrewten:* Der Gedanke einer ›bevölkerungspolitischen‹ Notwendigkeit des Todes ist vorgebildet im ›Tractatus de crudelitate mortis‹, den Johannes von Tepl in einer Handschrift besaß und von dem er sich, wie eine Zeigehand zu belegen scheint, gerade an dieser Stelle inspirieren ließ (Roth, 1981, S. 146–162; 16,1 f.: *Si plebs non minu[e]retur, / totus mundus repleretur;* »würde die Bevölkerung nicht dezimiert, wäre die ganze Welt zum Bersten voll«). Im ›Ackermann‹ allerdings fehlen alle moralischen, auf Sünde und Buße bezogenen Aspekte; vgl. Winston (1989), S. 374 f.; Kiening (1998), S. 211 f.

8,8 *sinnes grabstickel:* Bei Heinrich von Mügeln (›Der meide kranz‹) bezeichnet die Metapher das Eingravieren, durch das die Vernunft der personifizierten Natur Form verleiht (V. 1014 f.: *des sinnes*

grabestickel fur / uf iren heften hin und her); vgl. Annette Vol-
fing, Heinrich von Mügeln, ›Der meide kranz‹. A Commentary,
Tübingen 1997, S. 222.

8,18 *beweinet die totlichen:* nach Ps.-Seneca, ›De remediis fortuitorum‹ (hrsg. von Otto Rossbach, in: O. R., De Senecae philosophi
librorum recensione et emendatione, Breslau 1888, Nachdr. Hildesheim 1969, S. 99–109) 106,11: *stultus es qui fles mortem morta-
lium* (»töricht bist du, der du den Tod der Sterblichen beklagst«).

8,19 f. *lebendigen / toten:* Die Bibelstelle Matthäus 8,22: *dimitte
mortuos sepelire mortuos suos* (»laß die Toten ihre Toten begra-
ben«) wurde in der Tradition verschiedentlich ausgestaltet, vgl.
z. B. ›Der Marner‹ (hrsg. von Philipp Strauch, Straßburg/London
1876) XIV,18 (V. 281): *Die tôten mit den tôten, lebende mit den
lebenden* (hier im Hinblick auf Dichterruhm).

9. Kapitel

9,2 *trawrig vnd jamerig:* gehört im Sinne einer Konstruktion apo
koinou sowohl zum vorangehenden wie zum nachfolgenden
Satzteil.

9,5 *trawermacher:* vermutlich ebenso eine Neubildung wie *traurn-
wenderin* (19,20) und *traurnwenter* (34,42 f.).

9,6 *ensprent:* wohl graphische Variante zu *entspent* (13,3) von *en(t)-
spenen,* sw. Verb, ›entwöhnen, trennen‹.

9,7 *wann:* Die meisten Übersetzungen gehen von kausaler oder
temporaler Bedeutung aus (›denn‹, ›als‹), doch kann *wan* als exzi-
pierende Partikel (›wenn nicht‹) auch im Sinne des häufigeren
wan daz stehen; vgl. Mhd. Grammatik, S. 441 (§ 466 Anm. 2).

9,7 f. *dortt, herre, entgelt mit jren kinden:* Die Stelle ist in der ganzen Überlieferung gestört; vgl. Jungbluth, Kommentar, S. 66; Bertau, Kommentar, S. 186 f. Hübner konjizierte **tochter* für *dortt
her* (EH), doch mag die Aussage auf den Jenseitsort anspielen, an
dem die Verstorbene sich befindet und die von Gott erwiesenen
Wohltaten ›zurückzahlt‹; vgl. Frauenlob, ›Leichs, Sangsprüche,
Lieder‹ (hrsg. von Karl Stackmann und Karl Bertau, Tl. 1, Göttin-
gen 1981) V,59,17 f.: *er [Gott] machte in ewig, daz er [Adam]
galt / mit sinem geiste.*

9,8 *jn reinem neste:* Bertau (1991), S. 22–26, versucht die Lesart von
ABLγ *jn reinen vesten* im Hinblick auf das Fest Purificatio

Mariae zu rechtfertigen und versteht die 9,13 erwähnten *vestling* (AB, *nestlingen* EH) als ›Festtagskinder‹. Belege für diesen Sprachgebrauch gibt es keine. Auch scheinen der Kontext und die Übereinstimmung mit dem ›Tkadleček‹ (IX,36,67: *z toho hniezda*; »aus diesem Nest«) eher für die Lesart von EH zu sprechen.

9,8 *geuallen:* ›geboren‹, entsprechend lat. *nasci.*

9,9 *O gott:* Die Lesart von ABL *der*, vielleicht dialektal für *dir*, wäre grammatikalisch möglich, der Satz dann direkt an den vorangehenden anzuschließen (»[...] die Dir, Gott, gewaltiger Herr, ausbrütete solche Küken«). Doch mag auch hier die Übereinstimmung von EH mit dem ›Tkadleček‹ auf die ältere Lesart führen.

9,11 *bedencken kund:* Die nur in EH überlieferte Wendung ist nicht über jeden Zweifel erhaben. Bertau (Ausgabe) hält sie für eine Ergänzung und läßt den Satz mit der Exklamation *vnde alle ere!* schließen.

9,12 *sehende sprechend:* eine nicht ganz klare Konstruktion, zu erwarten wäre ein Präteritum für eines der beiden Partizipien.

9,13 *die zart:* Nur EH schreiben *dy zarte tochter*, was nicht authentisch sein muß; als *meyn zarte* tituliert der Ackermann seine Frau auch 17,22.

9,18 *begabet / gabe:* ebenso wie das Wortspiel zwischen *gatten* und *begattet* (9,21) eine Figura etymologica, die Variation eines Stammes in zwei verschiedenen Wortformen; sie fällt vielleicht ebenfalls unter den im Begleitschreiben (Z. 15 f.) genannten Begriff der *aequivocatio*; Zusammenstellung bei Natt (1978), S. 240.

10. Kapitel

10,2 f. *naturen gewurcken:* Nur an dieser Stelle erscheint Natura im ›Ackermann‹ als handelndes Prinzip; zur mittelalterlichen Personifikation der Natur vgl. George D. Economou, The Goddess Natura in Medieval Literature, Cambridge (Mass.) 1972; Christoph Huber, Die personifizierte Natur im Umkreis des Alanus ab Insulis und seiner Rezeption, in: Bildhafte Rede in Mittelalter und früher Neuzeit. Probleme ihrer Legitimation und ihrer Funktion, hrsg. von Wolfgang Harms und Klaus Speckenbach, Tübingen 1992, S. 151–170.

10,3 *mischung weltlicher sachen:* Da *mischung* von der Tradition her die Vermischung der Elemente und der Materie bezeichnet

(Frauenlob [s. Anm. zu 9,7 f.] III,5,6; VIII,23,15: *mische*), wird man
– zumal im Kontext der kosmologisch-ontologisch orientierten
Dreierreihe – der durch EH und den ›Tkadleček‹ bezeugten Lesart
sachen gegenüber der Lesart *schanden* den Vorzug geben dürfen.

10,8 *veststenden stein:* Daß auch die unverrückbaren Steine/Felsen,
die kein *leben* oder *wesen* besitzen, dem Tod unterworfen sein
sollen, erhebt diesen zum »Prinzip der *destructio* im sublunaren
Raum«; Huber (1988), S. 334.

11. Kapitel

11,4 *tragt jr mir vnder:* Die in A überlieferte Lesart *vor vnder* er-
klärt Bertau, Kommentar, S. 217, im Sinne von »oben unterstellt
Ihr mir«. Möglich ist aber auch, daß aufgrund eines Schwankens
zwischen weitgehend synonymem *undertragen* und *vortragen* im
Archetyp beide Präfixe standen und der Fehler dann in den meisten Textzeugen (auf unterschiedliche Weise) behoben wurde;
Handschrift H hat sich mit einer Ergänzung (*vnder warheit
falsch*) beholfen.

11,10 *erczeney:* ein häufiges Marienprädikat; Salzer (s. Anm. zu 5,3),
S. 513–515.

11,16 *an jrem hofe:* Damit wird das allegorische Szenario von 4,13 f.
weitergeführt, hier, zumindest nach der Lesart von EH, im Sinne
eines Tugendhofes; sechs der neun Tugenden (Staete, Triuwe,
Zucht, Scham, Liebe, Ere) bilden eine standardisierte Gruppe in
den Minneallegorien; vgl. Walter Blank, Die deutsche Minne-
allegorie. Gestaltung und Funktion einer spätmittelalterlichen
Dichtungsform, Stuttgart 1970, S. 119–130.

11,16 f. *scham trug:* Das danach in HBLγa anzutreffende *sie* dürfte
auf ein frühes Mißverständnis des Satzanfangs zurückgehen; die
ursprüngliche Lesart mag *ir* gewesen sein, denn im Hintergrund
steht eine topische Formulierung, wie sie sich etwa bei dem
Spruchdichter Hardegger (im Kontext eines Tugendpreises) findet: *so wil rehte milte daz ir trage / diu schame ir spiegel schone
vor den ougen* (›Große Heidelberger Liederhandschrift‹, f. 290ᵛᵃ);
weitere Beispiele bei Jungbluth, Kommentar, S. 79.

11,18 *hantheber:* wohl Nebenform zu *hanthaber* ›Durchführender,
Gewährender, Beschützender‹; Bertau, Kommentar, S. 228.

11,21–23 *Lon / loner, sollt / soldner:* wieder wie 9,18 Figura etymologica.

11,26 *sprechend 'vergib mir':* Daß der Henker unmittelbar vor der Hinrichtung sein Opfer um Verzeihung bitte, ist verschiedentlich belegt; vgl. Hübner (1935/68), S. 335; Franz Irsigler / Arnold Lassotta, Bettler und Gaukler, Dirnen und Henker. Außenseiter in einer mittelalterlichen Stadt, München 1989, S. 247 (Fall aus Köln von 1513).

11,27 *wigen:* wohl ein speziell im Nürnberger Raum benutztes Foltergerät mit Nägeln; Nachweise bei Jungbluth, Kommentar, S. 81.

12. Kapitel

12,3 *vnuerschickenlich:* adjektivische Bildung zum Verb *verschicken* ›(testamentarisch) vermachen‹, ebenso rechtssprachlich auch das folgende *notdorfft* ›Erfordernis zur Verteidigung einer Rechtssache‹; Jelinek, Mhd. Wörterbuch, S. 536.

12,6 *abhendig:* ›beiseitegeschafft, geraubt, entwendet‹; Jelinek, Mhd. Wörterbuch, S. 3. Auch die Lesart von AL *abwendig,* obgleich in Verbindung mit *werden* sonst nicht bezeugt, wäre möglich; die Figura etymologica spricht wohl für EHBγa.

12,10 *newr:* dialektale Schreibung ⟨ew⟩ für mhd. /û/ begegnet in der Handschrift häufiger.

12,12 f. *vandestu sie from oder machestu sie frum:* nach Ps.-Seneca, ›De remediis fortuitorum‹ (s. Anm. zu 8,18) 107,24: *Uxorem bonam amisi. utrum inveneras bonam, an feceras?* (»Ich habe meine gute Gattin verloren. – Hast du sie gut gefunden oder gemacht?«).

12,16 *frum gemachet:* Ps.-Seneca 108,2: *si feceras, bene spera* (»Hast du sie (gut) gemacht, so freue dich«).

12,17 *lebendige meyster:* Ps.-Seneca 108,2: *res periit, salvus est artifex* (»Die Sache ist verloren, wohlbehalten ist ihr Urheber«).

12,28 *lere:* ›lerne‹; Vertauschung von *lêren* und *lernen* begegnet im Mhd. häufig.

12,28 *gaczen:* ›gackern‹, hier und im etwa gleichzeitigen ›Ring‹ Wittenwilers (V. 4859: *gachczgen*) anscheinend zum ersten Mal belegt; die Vorlage von ABLγ hat das einfachere *sagen* eingesetzt.

13. Kapitel

13,1 *Nach schaden volget spotten:* verbreitetes Sprichwort; vgl. bereits Hugo von Langenstein, ›Martina‹ (hrsg. von Adelbert von Keller, Stuttgart 1856) 63,89–91: *Ist ein altes sprich wort / Als ir dicke hant gehort / Schade der het gerne spot.*

13,2 *beschedigten:* Dativ (s. Anm. zu 7,4).

13,6 *gezocket:* vom sw. Verb *zocken* ›ziehen, reißen, locken‹; nach Bertau, Kommentar, S. 253, vielleicht Intensivbildung zum sw. Verb *zogen*, das aber ebenfalls ›zerren, reißen‹ bedeuten kann; Jelinek, Mhd. Wörterbuch, S. 994.

13,9 *gelübt:* wörtl. ›verbürgt, versprochen‹, rechtssprachlich; Jelinek, Mhd. Wörterbuch, S. 276.

13,22 *ergeczen* ›entschädigen‹ (synonym das in A verwendete *bessern*); *besserung* ›Entschädigung‹, jeweils Rechtstermini; vgl. Wörterbuch der mhd. Urkundensprache 1 (1994), S. 246 f., 502 f. Mit ihnen taucht zum ersten Mal das für die weitere Haltung des Klägers so wichtige Motiv des (Schaden-)Ersatzes auf.

13,24 *gutet:* Plural von mhd. *guottât* ›Wohltat‹ (s. auch 34,4).

13,28 *massaneen:* vom starken Femininum *massenîe* ›Gefolge, Hofstaat‹.

13,30 *jemerliches waysentums:* Die Lesart von ABLγa *waffentums* (Bertau, Kommentar, S. 263: ›Notlage‹) kann im Hinblick auf den Notschrei *waffen!* verstanden werden (s. 5,13), doch stimmt *waysentumbs* in EH zu *siroba* im ›Tkadleček‹ (XI,73,125–131) und zur Reihe *verlust – schaden – trubsal.*

14. Kapitel

14,1 *Als mer geswigen wenn torlich geredt:* sprichwörtlich; Nachweise bei Jungbluth, Kommentar, S. 91.

14,8 *stolczen:* Dativ (s. Anm. zu 7,4).

14,11 f. *am besten zu sterben:* Ps.-Seneca, ›De remediis fortuitorum‹ (s. Anm. zu 8,18) 101,17: *optimum est mori, cum iuvat vivere* (»am besten ist es zu sterben, wenn es angenehm ist zu leben«) und 101,13: *optimum est, antequam optis, mori* (»am besten ist es zu sterben, bevor du es ersehnst«).

14,16 f. *hymmelfart offen:* Allgemeine kirchliche Jubeljahre mit Plenarablaß (vollkommener Sündenvergebung) waren 1350 und

1390; 1400 war als Jubeljahr vorgesehen, wurde aber nur inoffiziell als solches begangen; Jungbluth, Kommentar, S. 94; Palmer (1998), S. 310.

14,17 *hymmels torwarters kettenfeyrtag:* Petri Kettenfeiertag, 1. August.

14,18 f. *sechstausent … jare:* Die Datumsangabe *ab initio mundi* wurde in der mittelalterlichen Chronographie meist nur für die alttestamentliche Zeit verwendet (wobei zwischen dem Beginn der Welt und der Geburt Christi 5199 Jahre angesetzt wurden); die übliche christliche Zählung (1400) findet sich als Zusatz nur in Handschrift H.

14,19 *bey kindes gepurt:* Anspielung auf einen Tod im Kindbett (s. auch zur Mutter 4,11 f.).

14,28 f. *der sonnen jr liecht:* Im Vergleich des eigenen Wesens mit den Eigenschaften der beiden ›Planeten‹ Sonne und Mond und der ihnen zugeordneten Elemente Feuer und Wasser zeigt sich der Tod erneut als kosmisch-elementare Macht.

15. Kapitel

15,3 f. *betrigent:* Infinitiv auf /-ent/ ist außer für das Schwäbische auch für Eger bezeugt; Skála (s. Anm. zu 1,11), § 71.

15,5 *beschonet:* ›sich von einem Verdacht reinigen‹, rechtssprachlich; Jelinek, Mhd. Wörterbuch, S. 113.

15,8 *gewaltigt:* Adjektiv (mit epithetischem /t/), ›Gewalt habend, ein Amt bekleidend, bevollmächtigt‹, rechtssprachlich; Jelinek, Mhd. Wörterbuch, S. 311; Wörterbuch der mhd. Urkundensprache 1 (1994), S. 712 f.

15,11 f. *wandelsan:* gebildet wohl in Anlehnung an die geläufige Bezeichnung Marias als *wandels vrîe*; Salzer (s. Anm. zu 5,3), S. 366.

15,13 f. *wer jr wert … von wann ir wert:* Die Fragereihe wurde in der Überlieferung früh gestört und von Druck a wohl sekundär wiederhergestellt; die Antworten des 16. Kapitels lassen an der Wiederherstellung kaum Zweifel. Das Frageschema geht zurück auf die mittelalterliche, von Cicero beeinflußte rhetorische *inventio*-Lehre, die den plausiblen Aufbau einer Erzählung oder Rede vermittelte; traditionell sind sieben Fragen, die in einem Hexameter-Merkvers zusammengefaßt wurden: *quis, quid, ubi, quibus auxiliis, cur, quomodo, quando* (»wer, was, wo, mit welchen Mitteln, warum, wie, wann«); Palmer (1983), S. 193 f. Auch der ›Dialogus mortis cum homine‹ (Ausg. in: Reimgebete und Leselieder des Mittelalters, 6. Folge, hrsg. von Clemens Blume, Leipzig 1899 [Analecta hymnica medii aevi 33], S. 287 f.), einer der Vorläufer des ›Ackermann‹, benutzt zur Beschreibung des Todes das Muster der *inventio*-Fragen; Kiening (1998), S. 197 f.

15,16 *turen:* mit Sproßvokal, aus lat. *turris* ›Turm‹.

15,19 *pfleg: pflâg,* mitteldeutsche Formen für *plâge* (aus lat. *plaga*), ›Plage, Strafe, Unglück, Not‹; Jelinek, Mhd. Wörterbuch, S. 555.

15,24 *verruret:* vom sw. Verb *verrüeren,* hier wohl im Sinne von ›durcheinander rühren‹; Bertau, Kommentar, S. 294.

15,28 *recht:* entweder mitteldeutsche Form des Imperativs ›richte‹ oder – von einer mitteldeutsch beeinflußten Vorlage herrührendes – Substantiv ›Recht‹; die anderen Textzeugen haben das Wort durchgängig als Verbform aufgefaßt.

16. Kapitel

16,1 *Was bose ist:* vgl. Jesaja 5,20: *vae qui dicitis malum bonum et bonum malum* (»Wehe denen, die Böses gut und Gutes böse nennen«).

16,5 f. *meder:* Die Vorstellung vom Tod als Schnitter hat ihre Wurzeln in der Bibel – Jeremia 9,21 f.: *ascendit mors per fenestras nostras [...] / et cadet morticinum hominis [...] / quasi faenum post tergum metetentis* (»Der Tod stieg ein in unsere Fenster [...] und die Leichen der Menschen liegen umher [...] wie Garben hinter dem Schnitter«); Psalm 89,6 (iuxta Hebr.): *mane quasi herba pertransiens mane floruit et abiit / ad vesperam conteretur atque siccabitur* (»Es kommt hervor in der Frühe und grünet, abgemäht ist es am Abend und welk«); s. auch Matthäus 13,39 (Engel als Schnitter). Auch im ›Dialogus mortis cum homine‹ (s. Anm. zu 15,13 f.) spielt die Schnittermetaphorik und das *messorium* des Todes eine Rolle; Kiening (1998), S. 198 f. Zur Ikonographie ebd., S. 102 f.

16,6 *senngse:* Die Antwort des Ackermanns im folgenden Kapitel scheint eine Einführung der Sense schon an dieser Stelle zu erfordern; sollte sie sekundär von Handschrift H vorgenommen worden sein, dürfte sie dem Ursprünglichen nahekommen.

16,8 *hewt sie:* Die vermutlich korrekte, aber wohl durch Besserung hergestellte Form überliefert allein Handschrift H. Der Archetyp bot anscheinend *hewt sich* o. ä., eine ungewöhnliche, sprachgeschichtlich unsichere impersonale Konstruktion ohne Subjekt (begründet von Bertau, Kommentar, S. 304), die andere Textzeugen, in denen die Erwähnung der Sense fehlte (s. 16,6), durch Rückbezug auf den Tod klarzustellen versuchten (*haw ich* b gegenüber *haut sich* noch in a; *hawen wir* Lγ).

16,11 f. *die Romer vnd die poeten:* Weniger um bestimmte Autoren geht es hier als um den autoritativen Gestus der Selbstbestimmung des Todes.

16,13 f. *sein nichts vnd sein doch etwas:* Das Nicht-Sein des Todes und seine Nichtursprünglichkeit in der göttlichen Schöpfung betonte das verbreitete ps.-augustinische ›Hypomnesticon‹ (The Pseudo-Augustinian Hypomnesticon against the Pelagians and Celestians, hrsg. von John Edward Chisholm, 2 Bde., Fribourg 1967–80), resp. I, cap. 4 (S. 109): *Mors itaque privatio vitae est, nomen tantum habens, non essentiam; et ideo deus eius auctor esse dici non potest* (»Der Tod ist also eine Beraubung des Lebens, nur den Namen besitzt er, kein Wesen; deshalb kann Gott auch nicht sein Urheber genannt werden«). Charakteristisch für den ›Ackermann‹ ist die paradoxe Zuspitzung durch den sich selbst definierenden Tod, der bei aller Negation an seinem Etwas-Sein festhält.

16,14 f. *weder leben … vnterstent:* Die Kategorien, in denen Seiendes normalerweise erfaßt wird und die für den Tod gerade nicht greifen sollen, entsprechen teilweise der (aristotelisch-scholastischen) Tradition: *wesen = essentia, gestalt = species* (s. Diefenbach, Glossarium, Sp. 545^b), *vnderstent = substantia; leben* (*vita*) ist ebensowenig eine aristotelische Kategorie wie das Geist-Sein, mit dem der Tod auf seine eigene Aufteilung der Welt (8,1 f.) rekurriert.

16,18 *myttell:* Gemeint ist hier nicht – wie Hrubý (1971), S. 170–180, zu erweisen versuchte – ein aktives Prinzip (›Mittler‹), sondern der Status des Übergangs (›Mitte‹), »der ausdehnungslose Punkt […], in dem *wesen* und *nichtwesen* zusammenstoßen«; Huber (1988), S. 318.

16,23 *Vnbeschedenlich:* mitteldeutsche Form des Adverbs *unbescheidenlich,* hier weniger in der sonst belegten Bedeutung ›ungebührlich, rücksichtslos‹ als im Sinne von ›undeutlich‹ (Bertau,

Kommentar, S. 314) oder ›unbestimmbar‹, worauf auch die Ersetzungen anderer Textzeugen (*vnbeschreyblichen* H, *vnsichtig* a) zielen.

16,24 *vant du:* Bertau, Kommentar, S. 315, versteht die Lesart von A *wann du* als irreguläre Form für mhd. *wândestu* ›wähntest du‹; *vant*, was auch Druck a herstellte, ist als 2. Sg. Prät. des st. Verbs *vinden* im Oberdeutschen problemlos; vgl. Grammatik des Frühnhd. IV, S. 183.

16,24 *zu Rome jn einen tempel:* Die Bildbeschreibung zielt nicht auf ein existierendes Wandgemälde, sondern ist der Tradition pseudo-antiker Ekphrasis verpflichtet, die im 14. Jahrhundert bei den ›classicizing friars‹ in England beliebt war; Palmer (1983).

16,25 *man auff einem ochssen:* In Pestzeiten dienen Ochsen als Zugtiere für die Leichenkarren. Nach vereinzelten älteren Vorbildern wird im 15. Jahrhundert der Tod auf dem Ochsen zu einem vor allem in Stundenbüchern verbreiteten Bildtypus; vgl. Alexandre de Laborde, La mort chevauchant un boeuf. Origine de cette illustration de l'office des morts dans certains livres d'heures de la fin du XVe siècle, Paris 1923; Palmer (1983), S. 211–220. Im ›Ackermann‹ illustriert das Bild der eher passiven Figur, die gleichwohl alle Aktivität beendet, den Kern der Argumentation des Todes, daß alle Auflehnung gegen das Unvermeidliche sinnlos sei.

16,28 *linckten:* s. Anm. zu 1,11.

16,34 *Pitagoras:* Auch hier geht es nicht um ein authentisches Diktum des vorsokratischen Philosophen, sondern um einen autoritativen Anspruch.

16,35 *baseliscen augen:* Der tödliche Blick des Basilisken wird in der mittelalterlichen Naturkunde verschiedentlich erwähnt; Bertau, Kommentar, S. 321; zu bildlichen Darstellungen: Reallexikon zur deutschen Kunstgeschichte 1 (1937), Sp. 1488–92; Lexikon der christlichen Ikonographie 1 (1968), Sp. 251–253. Im ›Ackermann‹ steht das Bild der extrem agilen, überall gegenwärtigen Figur in kontrastierender Beziehung zum Bild des plumpen Totengräbers auf dem Ochsen.

16,37 f. *von dem jrdischen paradeise:* Die Herleitung der menschlichen Sterblichkeit aus dem Sündenfall ist christliches Gemeingut; begriffen wurde seit Augustinus (›De genesi ad litteram‹ IV,22 ff.; vgl. Thomas von Aquin, ›Summa theologiae‹ II,II, qu. 4,

A. 1999) die durch den Sündenfall bewirkte Sterblichkeit als Verlust jenes *beneficium* Gottes, das den Menschen im Paradies von der grundsätzlichen Korruptibilität der Materie, an der er teilhat, ausnahm; vgl. Huber (1988), S. 332.

16,39 *welliches tages:* Genesis 2,17: *in quocumque enim die comederis ex eo, morte morieris* (»Denn am Tage, da du davon issest, mußt du sicher sterben«).

16,41 *Darvmb:* Daß der Tod aus der Genesis-Szenerie, die heilsgeschichtlich nur die menschliche Sterblichkeit begründete, die naturgesetzliche Macht über alles Belebte ableitet, kann als signifikantes Element eines nach wie vor personalen Sprechens gelten.

16,41 *wir vns ... schreiben:* Zu reflexivem *sich schreiben* ›sich erklären für, sich nennen‹ s. Jungbluth, Kommentar, S. 114; der (verblaßte) Aspekt von Schriftlichkeit unterstreicht hier immerhin den autoritativen, fast verbrieften Anspruch des Todes; s. auch 25,15–18.

16,43 *warzu ... duchtig:* Nicht ergriffen wird hier die Möglichkeit, positive Aspekte des Todes vorzuführen, wie sie beispielsweise im ›Tractatus de crudelitate mortis‹ (s. Anm. zu 8,6 f.) bereitstanden.

17. Kapitel

17,10 *icht:* zu mhd. *jehen,* st. Verb, ›sprechen, behaupten‹; in den anderen Handschriften überwiegend *sprecht.*

17,13–22 *wo seint die frommen ... so uil sagen:* Die formelhaften Fragen benutzen das in der Todesdidaktik verbreitete Muster der *ubi sunt*-Fragen (Stellen aus der dt. Literatur bei Jungbluth, Kommentar, S. 118; bibliographische Hinweise bei Christian Kiening, Contemptus mundi in Vers und Bild am Ende des Mittelalters, in: Zeitschrift für deutsches Altertum und deutsche Literatur 123, 1994, S. 409–457, 482, hier S. 412, Anm. 12), doch dient der Blick auf die Großen der Vergangenheit normalerweise der Bestätigung, daß alles vergänglich sei (so auch in der ›Visio Polycarpi‹, s. Anm. zu 8,1 f.), nicht dem Angriff auf die Selektivität des Todes.

17,19 *entscheyden:* 3. Pl. Prät. des st. Verbs *schîden,* mit Ausgleich des mhd. Numerusablauts (Prät.: *scheit – schiden*) im Frühnhd.; Grammatik des Frühnhd. IV, S. 284 f.

17,24 *wurden:* ansonsten eher im Alemannischen geläufige Form
    der 2. Pl. Ind. Prät.; Grammatik des Frühnhd. IV, S. 206 (§ 77),
    209 (§ 78, Anm. 5).

17,27 f. *zwo vngehewer schare volckes:* Für ein historisches Ereignis
    ist die Anspielung wohl zu allgemein; wichtig scheint in erster Li-
    nie die Behauptung von Augenzeugenschaft.

17,31 *wurrent:* entweder verwandt mit *verwürren* ›sich verwickeln‹
    (Jelinek, Mhd. Wörterbuch, S. 973) oder mundartlich für *burren*
    ›sausen, flattern‹ (Bertau, Kommentar, S. 345).

18. Kapitel

18,3 f. *haben ... erkannt:* das Perfekt hier wohl als ›durchstehende
    Zeit‹; Mhd. Grammatik, S. 295 (§ 311).

18,4 f. *Wir waren do bey:* Die ganze folgende Serie dient dazu, ei-
    nerseits eine universale Präsenz des Todes in der Geschichte zu
    suggerieren, andererseits den Kläger ironisch zu einem Urmen-
    schen zu stilisieren, der einmal in dieser, einmal in jener Gestalt in
    der Schöpfung aufgetaucht sei (zum biblischen ›Urmenschen-My-
    thos‹ vgl. z. B. Hiob 15,7 f.: *numquid primus homo tu natus es et
    ante collas formatus / numquid consilium Dei audisti et inferior te
    reit eius sapientia;* »Bist du als erster Mensch geboren? Kamst du
    zur Welt schon vor den Hügeln? Hast du gelauscht in Gottes
    Ratsversammlung? Hast du die Weisheit ganz an dich gerissen?«).
    Die verschiedenen Anspielungen zielen wohl nur teilweise auf
    konkrete (pseudo-)historische Figuren und verschiedentlich mehr
    auf Verrätselung denn auf Auflösung.

18,7 *er hern:* Ellipse des Personalpronomens wäre im Mhd. möglich
    – vgl. Mhd. Grammatik, S. 365 f. (§ 399) –, doch dürfte es sich hier
    eher um eine versehentliche, durch lautliche Nähe verursachte
    Auslassung handeln.

18,8 f. *lewen bey dem beyn:* vielleicht eine Anspielung auf den bibli-
    schen Simson (Vulgata: Samson), der einen Löwen mit bloßen
    Händen zerriß und darüber ein Rätsel aufgab (Richter 14,6 ff.).

18,10 *stern zelen:* Von Arismetica heißt es in Heinrichs von Mügeln
    ›Der meide kranz‹ (s. Anm. zu 8,8), V. 816 f.: *sie zalte loup und
    ouch das gras, / des himels stern und meres griß*; weitere Stellen
    aus der Tradition bei Jungbluth, Kommentar, S. 125 f. Im ›Acker-

mann‹-Kontext geht es demgegenüber gerade um die Grenzen menschlicher Weisheit.

18,12 *wetlauff an dem hasen:* vielleicht eine Anspielung auf den allerdings erst sehr viel später im Märchen (Brüder Grimm, Kinder- und Hausmärchen, hrsg. von Heinz Rölleke, Stuttgart 1980 [u. ö.], Bd. 2, Nr. 187) belegten Wettlauf zwischen Hase und Igel; zu verschiedenen anderen (nicht überzeugenderen) Möglichkeiten: Jungbluth, Kommentar, S. 126 f.

18,12 f. *konig Soldan:* Gedacht ist womöglich an die biblischen Gastmäler des Nebukadnezar (Daniel 1) oder des Belsazar (Daniel 5), ohne daß aber eine genaue Entsprechung vorläge.

18,14 *Allexander:* Er besiegte das persische Heer unter Darius 333 v. Chr. bei Issos und 331 bei Gaugamela; Clitus, der Alexander in der Schlacht am Granikos (334) das Leben rettete, ist nicht als Bannerträger bezeugt; Bertau, Kommentar, S. 358.

18,16 *Achademia:* die von Platon um 385 v. Chr. im Hain des Heros Hekademos (Athen) gegründete, 529 von Kaiser Iustinian geschlossene Schule.

18,19 f. *Neronem vnterweysest:* Gemeint ist der stoische Philosoph und Dichter Lucius Annaeus Seneca (1 v. Chr. – 65 n. Chr.), der als Erzieher des jungen Nero und – nach dessen Thronbesteigung (54) – als Berater wirkte; seine Schrift ›De clementia‹ (56) beginnt mit einem Lob von Neros Milde.

18,21 f. *keyser Julium:* Anzitierung einer in Lucans ›Bellum civile‹ (›Pharsalia‹) V,508–677 erzählten Episode, nach der Julius Caesar an der albanischen Küste den Fischer Amyclas dazu aufgefordert habe, ihn bei stürmischem Meer nach Brindisi überzusetzen; bei Lucan ist die Hütte des Fischers, nicht der Kahn aus Schilf; vgl. Bertau, Kommentar, S. 361 f.

18,24 *edel gewant von regenpogen:* Anspielung auf die personifizierte Natura, die in ›De Planctu naturae‹ des Alanus ab Insulis (hrsg. von Nikolaus M. Haering, in: Studi medievali ser. III, 19, 1978, hier S. 813–815) ein vielfarbiges Gewand herstellt, in dem sich Vögel, Fische und Landtiere, nicht aber Engel befinden; vgl. Huber (1988), S. 359–362. Im ›Ackermann‹ dürfte wohl daran gedacht sein, daß das Gewand tatsächlich aus dem Regenbogen, also aus dem Unsubstantiellen gewoben ist; Bertau, Kommentar, S. 363.

18,26 *die ewl vnd der aff:* Die Eule, nicht aber der Affe begegnet bei Alanus; beide Tiere erscheinen in den Drolerie-Ranken des Hie-

ronymus-Offiziums, das Johannes von Tepl für die Kirche in
Eger stiftete (Prag, Bibliothek des Nationalmuseums, Cod. XII A
18, f. 1ʳ); Bertau, Kommentar, S. 364; zur Handschrift Josef Krasa,
Die Handschriften König Wenzels IV., Wien 1971, S. 213 und
220.

18,26 *jn weuels weyß: wevel* ›Einschlag beim Gewebe‹ begegnet
zwar meist in Kombination mit *warf* ›Aufzug oder Kette eines
Gewebes‹ (Jelinek, Mhd. Wörterbuch, S. 924 und 946), doch
dürfte die Lesart von H eher dem Kontext entsprechen als diejenige von A (*vnd wesels weyß*, von Bertau, Kommentar, S. 364, im
Sinne von ›Hermelinweiß‹ gedeutet).

18,28 *zu Pareiß:* Die Verlagerung der Szenerie nach Paris mag, in
Zusammenhang mit den im folgenden erwähnten Magieaspekten,
auf die Situation des Jahres 1398 verweisen, in dem Mitglieder der
Pariser Universität ein umfassendes Gutachten über Irrtümer der
Magie veröffentlichten; Chartularium universitatis Parisiensis IV,
hrsg. von Heinrich Denifle, Paris 1897, S. 32–35 (Nr. 1749); vgl.
Christoph Daxelmüller, Aberglaube, Hexenzauber, Höllenängste.
Eine Geschichte der Magie, München 1996, S. 118–121.

18,28 *auff dem gluckesrade:* Zu der bekannten, von Boethius we-
sentlich mitgeprägten Fortuna-Vorstellung vgl. Howard R. Patch,
The Goddess Fortuna in Mediaeval Literature, New York 1927;
Ehrengard Meyer-Landrut, Fortuna. Die Göttin des Glücks im
Wandel der Zeiten, München/Berlin 1997 (S. 73 Abb. der Darstel-
lung aus der in der Prager Wenzel-Werkstatt hergestellten astro-
nomischen Sammelhandschrift von 1392/93, die Johannes von
Tepl gekannt haben mag).

18,28 f. *auff der heutte tanczest:* In Artikel 20 des Pariser Gutach-
tens gegen die Magie wird als Irrtum auch der Glaube angepran-
gert, »Jungfrauenpergament, Löwenhaut oder Ähnliches« seien
wirksam zur Indienstnahme von Dämonen (*pergamenum virgi-
neum aut corium leonis et similia habeant efficaciam ad cogendos
et repellendos demones*; S. 35). Die Verwendung von Tier- und
Menschenhaut in magischen Zusammenhängen ist häufig bezeugt; Handwörterbuch des deutschen Aberglaubens 2 (1929/30),
Sp. 1322; 3 (1930/31), Sp. 1583–85.

18,30 *bannest die tewfel:* vgl. das Meisterlied ›Der Hort von der
Astronomie‹ (Meistergesänge astronomischen Inhalts [I], hrsg.
von Johannes Siebert, in: Zeitschrift für deutsches Altertum und

deutsche Literatur 83, 1951/52, S. 181–235, hier S. 200) 1,1 f.: *In astronomi ein meister was, / mit gotes wort bannt er den tiuvel in ein glas.*

18,31 *gesprech vmb frawuen Euä vall:* Verbreitet ist der Gedanke einer innertrinitarischen Diskussion bzw. eines allegorischen Streits der Tugenden Justitia und Veritas, Misericordia und Pax über das Schicksal des gefallenen Menschen; vgl. Friedrich Ohly, Die Trinität berät über die Erschaffung des Menschen und über seine Erlösung, in: Beiträge zur Geschichte der deutschen Sprache und Literatur 116 (1994) S. 242–284; Die deutsche Literatur des Mittelalters. Verfasserlexikon. 2. Aufl. 9 (1995), Sp. 396–402.

19. Kapitel

19,8 *aller ding:* Die Lesart von A (zu verstehen als Genitiv im Sinne von ›aller Leute Sachen‹) könnte eine lectio difficilior gegenüber sonstigem *alle dinge* darstellen; Bertau, Kommentar, S. 374.

19,9 *begeyne:* s. 4,2.

19,14 *geparet:* zum sw. Verb *gebâren* ›sich benehmen‹.

19,28 *zu wo:* mhd. *ze wiu* ›wozu‹, Instrumental des Interrogativpronomens; Mhd. Grammatik, S. 230 (§ 223).

20. Kapitel

20,1 *Mit guter rede:* vgl. Sprüche Salomos 15,1: *Responsio mollis frangit iram* (»Gelinde Antwort beschwichtigt Erregung«).

20,7 *weyssagen, der jn dem bade sterben wolt:* Seneca (s. Anm. zu 18,19 f.) schied, von Nero zur Selbsttötung gezwungen, mit philosophischer Gelassenheit aus dem Leben; in einem warmen Bad öffnete er sich die Adern (Tacitus, ›Annales‹ 15,60–64).

20,9 f. *als balde:* vgl. Ps.-Seneca, ›De remediis fortuitorum‹ (s. Anm. zu 8,18) 100,4 f.: *nascenti mihi protinus natura posuit hunc terminum* (»als sie mich gebar, hat mir Natur von Anfang an zugleich dieses Ende bestimmt«).

20,11 *leyckawff:* mhd. *lîtkouf,* ursprünglich im konkreten Sinne gemeinsamer Trunk ›als Zeichen des vollendeten Vertrages‹, mundartlich noch im 20. Jh.; Jelinek, Mhd. Wörterbuch, S. 468; Skála (s. Anm. zu 1,11), S. 74; Wörterbuch der mhd. Urkundensprache

2, 12. Lfg. (1996), S. 1146 f.; Meinolf Schuhmacher, ›Weinkauf‹ und ›Lei(t)kauf‹ zwischen Rechtsgeographie, Mentalitätsgeschichte und historischer Metaphorologie, in: Germanistische Linguistik 147–148 (1999) S. 411–425.

20,12 *Wer außgesant wirt:* Ps.-Seneca, ›De remediis fortuitorum‹ 99,18: *hac condicione intravi ut exirem* (»unter der Bedingung bin ich in die Welt eingetreten, daß ich sie wieder verlasse«).

20,15 *Was ein mensch entlehent:* ebd. 99,19: *gentium lex quod acceperis reddere* (»der Völker Gesetz ist es wiederzugeben, was du entliehen hast«).

20,16 *Ellend bauwen:* ebd. 100,1 f.: *peregrinatio est vita: cum multum ambulaveris [diu], redeundum est* (»eine Wanderschaft ist das Leben: wenn du lange gegangen bist, mußt du wieder zurückkehren«).

20,32 f. *Hermes:* So wie das Basilisken-Exempel des 16. Kapitels mit der Autorität des Pythagoras verbunden wurde, so erscheint hier ein Zitat unter dem autoritativen Namen des Hermes (Trismegistos), des legendären Urhebers des ägyptisch-hellenistischen ›Corpus hermeticum‹; vgl. zu den Hermes zugeschriebenen philosophisch-theologischen Schriften ›Corpus hermeticum‹, hrsg. von Arthur D. Nock und André-Jean Festugière, 2 Bde., Paris ²1960.

20,34 *was schon ist:* vgl. u. a. Lothar von Segni (Innozenz III.), ›De miseria humane conditionis‹ (hrsg. von Michele Maccarrone, Lucani 1955) I,17 (24,6–9): *difficile custoditur, quod a multis diligitur, et molestum est possidere, quod nemo dignetur habere* (»kaum läßt sich hüten, was von vielen begehrt wird, und lästig ist es zu besitzen, was keiner haben will«).

21. Kapitel

21,2 *jheen: jehen* (s. Anm. zu 17,10).

21,8 *sullen:* /-en/ in der 1. Sg. Präs. ist im Westmitteldeutschen häufig, im Ostmitteldeutschen eher selten; Grammatik des Frühnhd. IV, S. 176–180 (§ 69 f.).

21,13 *nie so boser man wurde:* sprichwörtlich; Nachweise bei Jungbluth, Kommentar, S. 150.

21,13 *etwer: etwâ* ›an irgendeiner Stelle‹.

21,18 f. *vnter vnvernunfftigen tieren:* Seneca hatte demgegenüber in seiner Trostschrift ›Ad Marciam‹ (Philosophische Schriften, lat./ dt., übers., eingel. und mit Anm. vers. von Manfred Rosenbach, Bd. 1, Darmstadt ⁵1995, S. 330 f.) VII,2 im Hinblick auf das *naturale desiderium suorum* betont, wie kurz die Trauer unter Tieren sei: *Aspice mutorum animalium quam concitata sint desideria, et tamen quam breuia* (»Betrachte den stummen Tieren, wie aufgeregt ist Sehnsucht, und dennoch wie kurz«).

21,19 *eint:* s. Anm. zu 1,11.

21,24 *hawen vnde schawfel:* Rückbezug auf die Totengräberwerkzeuge aus dem ›römischen Bild‹ des Todes (16,27).

22. Kapitel

22,1 Zur sprichwörtlichen Unbelehrbarkeit der Gans vgl. Jungbluth, Kommentar, S. 153.

22,2 *fadenricht: fademrihte,* webersprachlich für ›den leitenden Faden beim Weben‹; Jungbluth, Kommentar, S. 153.

22,11 *bitt Gott:* vgl. Jakobusbrief 1,5: *si quis autem vestrum indiget sapientiam / postulet a Deo qui dat omnibus affluenter et non inproperat / et dabitur ei* (»Wenn es aber einem von euch an Weisheit mangelt, so erbitte er sie von Gott, der allen ohne weiteres gibt und keine Vorhaltungen macht, und sie wird ihm gegeben werden«).

22,13 *wint:* vgl. Hiob 7,7: *memento quia ventus est vita mea* (»Bedenk, daß nur ein Hauch mein Leben ist«).

22,15 *Aristotiles:* Mit dem Namen des peripatetischen Philosophen verbunden wird hier die stoische Affektenlehre, die auf das Ideal eines Weisen zielte, der von den Verwirrungen (*passiones, perturbationes*) der Seele weitgehend unbelastet bleibt; vgl. Cicero, ›Tusculanae disputationes‹, 3 f.; Historisches Wörterbuch der Philosophie 1 (1972), Sp. 89–93. Die Gliederung in vier *perturbationes* war Johannes von Tepl u. a. aus der ›Consolatio philosophiae‹ des Boethius (s. Anm. zu 2,2 f.) vertraut – 1 m. 7,25–31: *Gaudia pelle, / Pelle timorem / Spemque fugato / Nec dolor adsit. / Nubila mens est / Vinctaque frenis, / Haec ubi regnant* (»Banne die Freuden, / banne das Fürchten, / Hoffnung vernichte, / Schmerzen entferne. / Wolken verhüllen, / Fesseln die Seele, / Da, wo sie herrschen!«).

22,17 *jerlich:* vermutlich Schreibvariante für *gerlich* ›gänzlich‹; zum Wechsel zwischen /g/ und /j/ s. Mhd. Grammatik, S. 142 (§ 118).

22,28 *nicht an hab:* Daß Freude und Leid nicht in der Sache selbst (und sei es als Akzidenzen) lägen, sondern allein Produkte der Vorstellung seien, ist ein Grundgedanke der stoischen Affektenlehre; vgl. Cicero, ›Tusculanae disputationes‹ (hrsg. und übers. von Karl Büchner, München 1984) 4 (7) 14: *Sed omnes perturbationes iudicio censent fieri et opinione* (»Alle Verwirrungen aber, ist ihre Ansicht, geschehen durch Urteil und Vorstellung«).

22,31 *herczen / synnen / mut:* Hier werden die Begriffe aus der Rede des Klägers (21,7) wiederaufgenommen, jedoch in anderer Reihenfolge. Die argumentatorische Eigenwilligkeit des Todes zeigt sich auch daran, wie die vier stoischen *perturbationes* in einer mehrfachen begrifflichen Verschiebung schließlich auf das Verhältnis von *liebe* und *leyt* verengt werden.

22,34 *thu, als es dein nie sey worden:* Seneca hingegen hatte empfohlen, für dasjenige dankbar zu sein, das dem Menschen, wenn auch nur zeitweise, zur Verfügung stand – ›Ad Marciam‹ (s. Anm. zu 21,18 f.) XII,3: *Melius tamen tecum actum est quam si omnino non contigisset, quoniam, si ponatur electio utrum satis sit non diu felicem esse an numquam, melius est discessura nobis bona quam nulla contingere* (»Besser ist dennoch mit dir geschehen, als wenn er dir überhaupt nicht zuteil geworden wäre, da es ja – wenn geboten wird die Wahl, ob es besser sei, nicht lange glücklich zu sein oder niemals – besser ist, daß uns Güter, die bald wieder sich entfernen werden, als gar keine zuteil werden«); ähnlich Boethius, ›Consolatio philosophiae‹ (s. Anm. zu 2,2 f.) 2 p. 4,22–29.

23. Kapitel

23,2 *gekündet:* wohl vom sw. Verb *kunden/künden;* als Part. Prät. des präterito-präsentischen Modalverbs *künnen* (Nebenform *künden*) ›können‹ verstanden, wäre der Sinn des Satzes »Lange gelernt, ein wenig gekonnt«, doch erscheint *gelernet* auch 23,7 im Sinne von ›gelehrt‹.

23,6 *die Romer:* Sie werden, wie häufig in der volkssprachlichen Literatur, ganz im Sinne des mittelalterlichen Ritterwesens dargestellt.

23,11 f. *kan nit mussig wesen:* Der Gedanke, daß die menschliche Vorstellungskraft beständig, selbst im Schlaf, aktiv sei, findet sich u. a. in dem Johannes von Tepl bekannten Traktat ›De opificio Dei‹ des Kirchenvaters Laktanz (Opera omnia, hrsg. von Samuel Brandt und Georg Laubmann, Bd. 2,1, Prag/Wien/Leipzig 1893) 16,9: *quod sensus ille uiuus atque caelestis qui mens uel animus nuncupatur, tantae mobilitatis est, ut ne tum quidem, cum sopitus est, conquiescat* (»daß dieser lebendige und himmlische Sinn, der Verstand oder Geist genannt wird, von solcher Geschäftigkeit ist, daß er nicht einmal dann, wenn er schläft, ausruht«).

23,26 *Ferre wege:* sprichwörtlich; Nachweise bei Jungbluth, Kommentar, S. 159.

23,28 *in meyner gedechtnüß:* Im Dialogablauf zeichnet sich damit eine Bewältigung des Verlusts ab; mit der Memoria ist eine Kategorie gefunden, die Bewahrung und gleichzeitiges Sich-Abfinden ermöglicht.

23,30 *fledermauß:* Weniger die Feindseligkeit der anderen Vögel gegenüber der Fledermaus als deren Falschheit wird in der mittelalterlichen Tierkunde betont; häufig erscheint die Fledermaus als Symbol des Neides, des Dämonischen oder Häretischen; vgl. Nigel Harris, The Latin and German ›Etymachia‹. Textual History, Edition, Commentary, Tübingen 1994, S. 337 f. und Register. Erst in späterer Sagenüberlieferung wird das Motiv der Ausgrenzung der Fledermaus deutlicher; Krogmann, Ausgabe, S. 201 f.

24. Kapitel

24,2 *weisen:* Dativ (s. Anm. zu 7,4).

24,3 *Wer vmb rate bittet:* sprichwörtlich; Jungbluth, Kommentar, S. 161.

24,11 f. *jn sünden empfangen:* Im Hintergrund der den Menschen abwertenden Schimpftirade steht Lothars von Segni ›De miseria humane conditionis‹ (s. Anm. zu 20,34) I,1 (7,20–8,3): *Sane formatus est homo de terra, conceptus in culpa, natus ad penam, agit prava que non licent, turpia que non decent, vana que non expediunt; fiet cibus ignis, esca vermis, massa putredinis* (»fürwahr, geschaffen ist der Mensch von Erde, empfangen in Sünde, geboren zur Schuld, er tut Schlechtes, das sich nicht ziemt, Schändliches, das sich nicht schickt, Eitles, das sich nicht gehört; er wird eine Speise des Feuers, eine Nahrung des Ungeziefers, ein Aas des Gestanks«). Zentral für die Schimpfwörter im ›Ackermann‹ ist die Vorstellung des unreinen, undichten Gefäßes.

24,14 *besmyret binstock:* Im Mittelalter bekannt war das Verfahren, im Winter die Bienenstöcke mit Kuhmist und Lehm abzudecken; Burdach (1933/68), S. 237 f.

24,17 *lochereten:* /-en/ im Nom. Sg. Fem. des Adjektivs ist mitteldeutsch nicht ganz ungewöhnlich (noch Luther); Grammatik des Frühnhd. VI, S. 145 (§ 56.3).

24,20 *betrygender totenschein:* vgl. Lothar von Segni, ›De miseria humane conditionis‹ II,40 (71,9 f.): *cum facies adulterino colore fuscatur, os abhominabili fetore corrumpitur* (»wenn das Gesicht mit falscher Farbe bemalt ist, wird doch das Aussehen von Verwesungsgeruch verderbt«). Das Substantiv *totenschein* ›Miene eines Toten‹ (Bertau) in ABLγ ist ebenso wie die Variante *tockenschein* in H nur hier bezeugt.

24,20 f. *leymen rauphauß:* vgl. Matthäus 23,25: *intus autem pleni sunt rapina et inmunditia* (»innen aber sind sie voll von Raub und Unmäßigkeit«).

24,21 *gemalte betrubnüß:* vgl. Lothar von Segni, ›De miseria humane conditionis‹ II,37 (68,20 f.): *Sed quid est homo pretiosis ornatus nisi sepulcrum foris dealbatum, intus autem plenum spurcitia?* (»Denn was ist ein Mensch, der sich mit Kostbarkeiten schmückt, anderes als ein außen getünchtes Grab, innen aber voller Unrat?«).

24,23 *seynen:* Dativ (s. Anm. zu 7,4).

24,26 *linczen augen:* Die Vorstellung geht zurück auf Boethius, ›De consolatione philosophiae‹ (s. Anm. zu 2,2 f.) 3 p. 8,22–26: *Quodsi, ut Aristoteles ait, Lyncei oculis homines uterentur, ut eorum visus obstantia penetraret, nonne introspectis visceribus illud Alcibiadis superficie pulcherrimum corpus turpissimum videretur?* (»Wenn die Menschen, wie Aristoteles sagt, sich der Augen des Lynkeus bedienen könnten, so daß ihr Blick durch alle Widerstände dränge, würde dann nicht, wenn man die Eingeweide schaute, auch jener auf seiner Oberfläche herrliche Körper des Alkibiades abstoßend widerwärtig erscheinen?«). Die mittelalterliche Tradition deutete den Argonauten Lynkeus zum Luchs (*lynx*) um; Bertau, Kommentar, S. 455 f.

25. Kapitel

25,5 *nicht getirmet:* Der Kläger greift die Behauptung des Todes aus 16,37 f. auf und bestreitet im folgenden, zumindest implizit, den Ursprung der Sterblichkeit im Paradies. Auffälligerweise bleiben bei der emphatischen Huldigung des Menschen sowohl die Rolle der Seele wie die Person Christi ausgespart: Zeichen für die Vermeidung einer dezidiert heilsgeschichtlichen Perspektive, die auch dem Tod Argumente liefern könnte.

25,6 *gott den menschen:* Bezugspunkt ist der erste biblische Schöpfungsbericht (Genesis 1), ohne daß aber wörtliche Entsprechungen vorlägen.

25,9 *herschafft beuolhen:* Genesis 1,28: *dominamini piscibus maris et volatilibus caeli et universis animantibus quae moventur super terram* (»Herrschet über die Fische des Meeres und über die Vögel des Himmels und über alles Getier, das sich auf Erden regt!«).

25,9 *jm:* anscheinend eine frühe Störung (*jm* H, *jm jn* A), die verschiedene Textzeugen zu beheben versuchten (*die jme* L, *im die* γ).

25,9 *seynen fussen vntertenig:* vgl. Johann von Neumarkt, ›Buch der Liebkosung‹ (Schriften, Tl. 1, hrsg. von Joseph Klapper, Berlin 1930) 99,1 f.: *Alle dinck hastu geseczet vnter des menschen fues;* Hergemöller (1999), S. 96.

25,10–12 *tieren / vogel / vischen / fruchten:* Johann von Neumarkt, ›Buch der Liebkosung‹ 101,21–24: *Auch hastu im gegeben di tyr, di vogel des himels, di fisch des meres, di fruht des ertreichs.* Die Form *vogel* in der ›Ackermann‹-Handschrift stellt einen gelegentlich mundartlich belegten Dativ Pl. statt üblichem *vogeln* dar; Grammatik des Frühnhd. III, S. 164–167 (§ 60).

25,17 *menschewercke:* eine sprachliche Neubildung, »die die Anstrengung des Begriffs auf sich nimmt, zugleich menschlichen Freiheitsanspruch und von Gott abhängige Geschöpflichkeit auszudrücken«; Bertau, Kommentar, S. 468.

25,22 *Engel, tewfel, schrettlein, clagmüter:* Im Blick sind Kreaturen, die anders als der Mensch über keine Willensfreiheit verfügen. Den Engeln hatte die Tradition allerdings insofern Willensfreiheit zugestanden, als sie, in ihrem Wesen würdiger als der Mensch, keiner Sache ermangeln dürften, über die der Mensch verfüge (Thomas von Aquin, ›Summa theologiae‹ I,59,3 [300]: *Utrum in angelis sit liberum arbitrium*). Bei den *schrettlein* handelt es sich um eher positiv konnotierte Haus-, Polter- oder Waldgeister (Vintler, ›Pluemen der tugent [s. Anm. zu 6,16 f.], V. 7803–06: *etleich die jehen, / das schrattel sei ain claines chint, / und sei als ring als der wint, / und sei ain verzweivelter gaist*; vgl. Claude Lecouteux, Vom *Schrat* zum *Schrättel*. Dämonisierungs-, Mythologisierungs- und Euphemisierungsprozeß einer volkstümlichen Vorstellung, in: Euphorion 79, 1985, S. 95–108). Als *clagmüter* wurden nach volkstümlicher, im böhmischen Raum verbreiteter Tradition weiblich gedachte Klagewesen bezeichnet, deren klagenden Tönen man eine prophetische Funktion im Hinblick auf Todes- und Unglücksfälle zuschrieb – im Hintergrund steht dabei das Schreien von Eulen und anderen Nachttieren (Klagevögeln); Handwörterbuch des deutschen Aberglaubens 4 (1931/32), Sp. 1439–43.

25,23 *wesen:* wohl (selten belegte) Form des Part. Präs. *wesend*; Grammatik des Frühnhd. IV, S. 222 f. (§ 82 Anm. 3).

25,25 *Jm selber gleich:* Genesis 1,26: *Et ait: Faciamus hominem ad imaginem et similitudinem nostram* (»Nun sprach Gott: ›Laßt uns den Menschen machen nach unserem Bilde, uns ähnlich‹«); 1,27: *Et creavit deus hominem ad imaginem suam* (»Und Gott schuf den Menschen nach seinem Bilde«). Die folgende Darstellung orientiert sich in groben Zügen an der Schrift ›De opificio Dei‹ des Laktanz (s. Anm. zu 23,11 f.), wobei allerdings von dessen alle äußeren und inneren Teile einbeziehenden Übersicht über den harmonisch geformten menschlichen Körper nur die Gesichtssinne übernommen sind.

25,31 *augen apffel:* vgl. Laktanz, ›De opificio Dei‹ 8,17: *per eos igitur orbes se ipsam mens intendit ut uideat miraque ratione in unum miscetur et coniungitur amborum luminum uisus* (»Durch diese Augäpfel bemüht sich der Geist zu sehen, und wunderbarerweise gestaltet sich das Gesicht der beiden Augen zu einem Bild«).

25,32 *jn spygels weyse:* vgl. Laktanz, ›De opificio Dei‹ 8,9: *ut imagines rerum contra positarum tamquam in speculo refulgentes ad sensum intimum penetrarent* (»damit die Bilder der Gegenstände gewissermaßen in einem Spiegel erglänzen und in den inneren Sinn fallen sollten«); die Form des Kopfes als einer *sphaerica figura* ist in der philosophischen Tradition verschiedentlich betont; vgl. Kiening (1998), S. 353.

25,32 f. *das hymmelsclare:* vielleicht die Milchstraße; Bertau, Kommentar, S. 477.

25,33–43 Das Grundgerüst für die Formulierungen zu Hören, Riechen und Schmecken bietet Johann von Neumarkt, ›Buch der Liebkosung‹ (s. Anm. zu 25,9) 101,9–17: *auf das er gehoren moht, hastu im gegeben mancherlei vnderscheid suzer done, auf das er gerichen mocht, hastu im gegeben behegleiche senftickeit der ruch, vnd auf das er gesmecken moht, hastu im gegeben vnderscheidung des smacks.*

25,35 *dunnen fell:* Laktanz (›De opificio Dei‹ 8,10) erwähnt Membranen in bezug auf die Augen.

25,37 f. *synnigclichen verzymmert:* vgl. Laktanz, ›De opificio Dei‹ 10,8: *uelut pariete per medium ducto intersaepsit atque diuisit* (»mit einer durch die Mitte gehenden Wand verzäunt und abgeteilt«).

25,40 f. *malende einsacker:* vgl. Laktanz, ›De opificio Dei‹ 10,18 zur Härte der Zähne im Vergleich mit dem Mühlstein (*molaris*).

25,45 f. *Jn die gotheyt vnd darvber:* Nicht wirklich vergleichbar ist die Aussage Marias in Frauenlobs ›Marienleich‹ (s. Anm. zu 9,7 f.) I,20,3: *der himel höhe han ich überclummen.* Gedacht ist bei der ›Ackermann‹-Stelle vielleicht eher an den Aufstieg zum Göttlichen im Sinne neuplatonischer Tradition. Besonders pointiert formuliert die Rolle des Menschen als *creator divinorum* die aus dem ›Corpus hermeticum‹ (s. Anm. zu 20,32 f.), Bd. 2, stammende Schrift ›Asclepius‹ 308,24 f. (§ 10): *inscendere posse uideatur in caelum* (»er scheint das Mittel zu haben, bis zum Himmel aufsteigen zu können«); 347,8–10 (§ 37): *omnium enim mirabilium uincit admirationem, quod homo diuinam potuit inuenire naturam eamque efficere* (»alle diese Wunder aber werden durch eines übertroffen: was vor allem Bewunderung verlangt, ist, daß der Mensch in den Stand gesetzt wurde, die göttliche Natur zu erkennen und selbst hervorzubringen [in Form von Idolen]«).

25,48 *vernunfft:* Gedacht ist hier wohl nicht einfach an die der Gotteserkenntnis dienende Vernunft (Johann von Neumarkt, ›Buch der Liebkosung‹ [s. Anm. zu 25,9], 45,1–3: *di maht* [Gottes Kind zu werden] *ist in der vernunft benumen, durch di wir got erkennet haben*), sondern an eine selbst fast göttliche Instanz; vgl. Laktanz, ›De opificio Dei‹ 8,3: *eius prope diuina mens [...] in summo capite conlocata tamquam in arce sublimi speculatur omnia et contuetur* (»Sein fast göttlicher Verstand hat [...] seinen Sitz ganz oben im Kopfe, und wie von einer hohen Burg aus ersieht er alles und erschaut er alles«).

25,48 *hardes: hortes* (s. Anm. zu 8,4).

25,52 *jn:* /-n/ für /-m/ im Akkusativ des Personalpronomens der 3. Person ist im Frühneuhochdeutschen verschiedentlich belegt; Grammatik des Frühnhd. VII, S. 93 f. (§ 9 Anm. 62); Skála (s. Anm. zu 1,11), S. 214.

26. Kapitel

26,2 f. *wider vilredende lewt:* ›Disticha Catonis‹ (hrsg. von Leopold Zatočil, in: L. Z., Cato a Facetus. Zu den deutschen Cato- und Facetusbearbeitungen. Untersuchungen und Texte, Brno 1952, S. 230) I,10: *Contra verbosos noli contendere verbis* (»Gegen Wortreiche darfst du nicht streiten mit Worten«).

26,7–22 Genannt werden zunächst die sieben freien Künste in der Reihenfolge von Trivium (Grammatik, Rhetorik, Logik) und Quadrivium (Geometrie, Arithmetik, Astronomie, Musik); zu ihrer bildlichen Darstellung: Jutta Tezmen-Siegel, Die Darstellungen der septem artes liberales in der Bildenden Kunst als Rezeption der Lehrplangeschichte, München 1985; eine umfassende Aufarbeitung der Tradition bietet Michael Stolz (Habil.-Schrift Bern 1999). Der Preis der Künste, die zugleich menschliche Würde und Kunstfertigkeit bezeugen, ist in der Spruchdichtung, z. B. bei Heinrich von Mügeln, breit entfaltet; auch der Gedanke, daß keine Wissenschaft gegen den Tod helfe, begegnet dort; Hübner (1935/68), S. 296–311. Der im böhmischen Raum verbreitete und nachgeahmte ›Rhythmus de Incarnatione et de septem artibus‹ des Alanus ab Insulis beschreibt die Unzulänglichkeit der Künste angesichts des Mysteriums der Inkarnation; Josef Szövérffy, Der ›Ackermann aus Böhmen‹ und die Hymnentradition, in: Literaturwissenschaftl. Jahrb. 5 (1964) S. 327–334.

26,10 *reingeferbten reden:* Anspielung auf die *colores rhetoricales;* s. Hübner (1935/68), S. 300 f., und Begleitschreiben (S. 82, Z. 19 f.).

26,11 *Loyca:* Ihre Beurteilung ist in der Tradition häufig eine zwiespältige; Jungbluth, Kommentar, S. 177 f.

26,13 *verleytung krümerey:* entweder zwei konjunktionslos verbundene Dative (bezogen auf *mit*) oder ein zweiter Genitiv *(der warheit) verleytung* mit folgendem Dativ.

26,20 *Musyca:* Bei ihrer Charakterisierung als *hantreicherin* (entsprechend *ministra*; Diefenbach, Glossarium, Sp. 362[a]) mag im Hintergrund das graphische Modell der ›Guidonischen Hand‹ stehen, das im Mittelalter zur Memorierung der Ganz- und Halbtonschritte diente; vgl. Heinrich von Mügeln, ›Von allen freien Künsten‹ (Die kleineren Dichtungen, hrsg. von Karl Stackmann, I,2, Berlin 1959, S. 329–345) 286,9 f.: *das leret gar uns musica die fire, / wie in der hant man fint gesenge drie*; Bertau, Kommentar, S. 499.

26,22 *Philosophie:* Sie wird wohl unter doppeltem Aspekt als Naturphilosophie *(jn natuerlicher erkentnüß)* und als Moralphilosophie *(jn guter syttenn würckung)* gekennzeichnet; *jn zwirch* (*zwirch*, st. Femininum, ›Quere‹) dürfte hier ähnliche Bedeutung haben wie *zwir* ›zweimal‹; vgl. Jelinek, Mhd. Wörterbuch, S. 1008 (›in doppelter Beziehung‹). Die Betonung der Ackermetaphorik ist in diesem Zusammenhang traditionell (Cicero, ›Tusculanae disputationes‹ [s. Anm. zu 22,28], 2 (5) 13: *cultura autem animi philosophia est*; »Philosophie aber ist die Beackerung des Geistes«), zeigt aber im Kontext des ›Ackermann‹-Dialogs, daß die Nichtigkeitserklärung des Todes Züge enthält, die über das Rollenprofil hinausweisen.

26,25 *Phisica:* hier »nicht gelehrt verstanden als Oberbegriff für Medizin und Naturkunde, sondern [...] in dem offenbar landläufigeren Sinne lediglich als Heilkunde«; Hübner (1935/68), S. 304.

26,26–42 Vorgeführt werden magische und mantische Künste durchgängig divinatorischen Charakters. Die meisten von ihnen erscheinen schon bei Isidor (›Etymologiae‹ VIII,9) und seit dem 11. Jahrhundert in der Tradition des kanonischen Rechts. Auseinandersetzung damit begegnet u. a. bei Johannes von Salisbury (›Polycraticus‹ I,11 f.) und bei Thomas von Aquin (›Summa theologiae‹ II,II,95: ›De superstitione divinativa‹; vgl. Dieter Harmening, Superstitio. Überlieferungs- und theoriegeschichtliche Untersuchungen zur kirchlich-theologischen Aberglaubensliteratur des Mittelalters, Berlin 1979, bes. S. 178–216). Heinrich von Mügeln nennt in seinem Lied von den Künsten (s. Anm. zu 26,20) außer Physica auch Nigromantie, Pyromantie und Geomantie (Str. 293–295). Möglich ist, daß Johannes von Tepl sich an Wissenschaftseinteilungen orientierte, die an der Pariser Universität

ausgearbeitet wurden; vgl. Michael Stolz, *Die künst helffen zumale nichts.* Zur Nichtigkeit menschlichen Wissens im ›Ackermann‹, Kap. 26, in: Hildegard Bok / Václav Bok (Hrsg.), Deutsche Literatur des 13. bis 15. Jahrhunderts in Böhmen und über
Böhmen, Wien 2000. Systematische Beschreibungen liefert im 15.
Jahrhundert Johannes Hartlieb in seinem ›Puch aller verpoten
kunst, vnglaubens vnd der zauberey‹ (hrsg. von Dora Ulm, Halle
1914; Übers. von Frank Fürbeth, Frankfurt a. M. 1989).

26,26 *Geomancia:* Ihre Beschreibung entspricht weitgehend jener
der Astrologie bei Dominicus Gundissalinus, ›De divisione philosophiae‹ (hrsg. von Ludwig Baur, Münster 1903) 119,20 f.:
sciencia iudicandi secundum planetarum et signorum posicionem;
vgl. Stolz (s. Anm. zu 26,26–42).

26,29 f. *warsagens fewerwurckerin:* Die Wortzusammensetzung
bleibt hier wie bei anderen Neubildungen im ›Ackermann‹ unsicher; Bertau, Kommentar, S. 504, plädiert für *warsagensfewer
wurckerin.*

26,31 *Astrologia* (und die 26,18 genannte *Astronomia*) besaßen am
Prager Hof große Bedeutung: Aus der Zeit Karls IV. und Wenzels
IV. stammen zahlreiche prachtvoll illuminierte astronomische
Handschriften; vgl. Krasa (s. Anm. zu 18,26), S. 52–58, 194-215;
František Kavka, Am Hofe Karls IV., Leipzig 1989, S. 55–57.

26,31 f. *mit oberlendischer sachen:* Die Annahme, hier sei ein Be-
zugswort des Genitivs ausgefallen (z. B. *mit oberlendischer sachen *einfluß*), scheint durch den ›Tkadleček‹ bestätigt zu werden, wo von der »durch die oberen und himmlischen Dinge ein-
geflossenen und natürlichen Macht« die Rede ist (XVI,139,444 f.;
Ulbrich, Tkadleček-Übers., 101,36 f.; Bertau, Kommentar, S. 505).
Sie erübrigt sich jedoch, wenn man *sachen* als Dativ Sg. des
schwachen Femininums versteht, das durchaus belegt ist; vgl.
Stolz (s. Anm. zu 26,26–42).

26,32 *jrdischen kauffes:* vielleicht in Entsprechung zu *negotia ter-
rena,* mit denen es nach Johannes Dacus, ›Divisio scientiae‹
(Opera 1,1, hrsg. von Alfred Otto, Kopenhagen 1955) 18,22 f. die
Geomantie (s. Anm. zu 26,26) zu tun habe; generell scheint die
›Ackermann‹-Passage Johannes Dacus nahezustehen; vgl. Stolz
(s. Anm. zu 26,26–42).

26,33 *des teners krewsen:* Die Überlieferung ist problematisch; im
Kontext der Handlesekunst scheint die Lesart von H *tener*
›Handfläche‹ das Richtige zu treffen; *krewsen* in A ist dialektale

Variante für *kreissen*, Akk. Pl. des st. Maskulinums *kreisse/kreiz* ›Kreislinie‹; s. auch 28,33; zahlreiche analoge Wortbeispiele bei Skála (s. Anm. zu 1,11), S. 104.

26,34 *Nigromancia:* Im ursprünglichen Sinne (als Nekromantie) ein Verfahren der Zukunftsdeutung mit Hilfe der Geister von Toten; im spätmittelalterlichen Sinne auch eine generelle Bezeichnung für jene Magie, die sich explizit als dämonistisch verstand; Richard Kieckhefer, Magie im Mittelalter, München 1995, S. 175–201 (hier S. 176; S. 183–185 Beispiele für die Verwendung von Ringen bei der Zauberei; s. auch Handwörterbuch des deutschen Aberglaubens 7, 1935/36, Sp. 717–720).

26,36 *Alchimia:* nur in H und dort hinter *notenkunst*; es könnte sich um einen aus einem Korrekturexemplar übernommenen (aber falsch eingeordneten) Randnachtrag handeln; Kiening (1998), S. 49 f.

26,36 f. *Notenkunst: ars notoria,* eine Kunst, die nach Hartlieb (s. Anm. zu 26,26–42) *durch ettlich wort, vigur vnd caracter alle kunst lernen macht* (18,29 f.).

26,40 f. *Pedomancia:* Diefenbach, Glossarium, Sp. 443ᶜ: *podomantia, weyssagung in adern der kinde.*

26,41 *Ornamancia:* Diefenbach, Glossarium, Sp. 401ᵇ: *ornimantia, zawberey in oder mit pirckhun.*

26,42 f. *Juryst, der gewissenloß cryst:* anscheinend schon sprichwörtlich; Jungbluth, Kommentar, S. 187.

26,47 *walcktrock:* ›Trog des Tuchwalkers‹; Jelinek, Mhd. Wörterbuch, S. 917.

26,47 *rollfaß:* ›Faß zum Reinigen von Metallsachen‹.

27. Kapitel

27,9 *weltlich oder geysthlich ordenung:* Damit kommt die Zukunftsgestaltung in den Blick und zeichnet sich eine neue Phase im Umgang mit dem Verlust ab; von der Verstorbenen ist nicht mehr die Rede.

27,11 *wuge:* Prät. *wuoc – wuogen* (6. Ablautreihe) zum st. Verb *wegen* (5. Reihe) kommt bereits im Mhd. vor; Mhd. Grammatik, S. 249 (§ 249 Anm. 2).

27,14 *rat: ratet –* eine häufige Assimilation; Grammatik des Frühnhd. IV, S. 161–164 (§ 64).

27,16 *reines, gotliches nest:* Des Ackermanns emphatisches Lob der
Ehe findet einen (obschon schwächeren) Reflex in den spätmittelalterlichen Ehelehren, welche die Ehe aufgrund ihrer göttlichen
Einsetzung im Paradies als den geistlichen Lebensformen überlegen einstufen; vgl. Michael Dallapiazza, minne, hûsêre und das
ehlich leben. Zur Konstitution bürgerlicher Lebensmuster in
spätmittelalterlichen und frühhumanistischen Didaktiken, Frankfurt a. M. / Bern 1981; Müller (1982); Über die Ehe. Von der
Sachehe zur Liebesheirat. Eine Literaturausstellung, Schweinfurt
1993.

27,18 *ee / ee:* Spiel mit der Homophonie, außerdem im gleichen
Satz eine Figura etymologica (*leben* als Verb und Substantiv).

27,21 *Einen:* Dativ (s. Anm. zu 7,4).

27,24 f. *sie ist die beste ... tut:* eine sprichwörtliche Wendung; Jungbluth, Kommentar, S. 191.

27,27 *selden:* nicht von *saelde*, st. Femininum, ›Glück, Heil‹, sondern von *selde/soelde*, stsw. Femininum, ›Wohnung, Königssitz,
Residenz‹; s. auch 33Ü.

28. Kapitel

28,14 *auff / nider:* zahlreiche ähnliche Formulierungen in der misogynen Tradition; Jungbluth, Kommentar, S. 195.

28,34 *newen vnlustigen vnflat:* Anspielung auf die Menstruation,
die Lothar von Segni in ›De miseria humane conditionis‹ (s. Anm.
zu 20,34) I,4 drastisch-negativ beschrieb.

29. Kapitel

29,8 *weibes vnd kinder habe:* In der ›Consolatio philosophiae‹ des
Boethius (s. Anm. zu 2,2 f.) ist von »Frau und Kindern« die Rede,
die man »um der Freude willen sucht« (3 p. 2,33 f.: *uxor ac liberi,
quae iucunditatis gratia petuntur*), doch ist die Perspektive auf irdisches Glück dort sonst eher eine kritische.

29,10 *Boecium hin gelegt Philosophia:* Rahmensituation der ›Consolatio philosophiae‹ ist der Aufenthalt des Boethius im Kerker
Theoderichs, wo die personifizierte Philosophia den seine Hin-

richtung Erwartenden (gest. 524) tröstet. Die Schrift wurde zur
mittelalterlichen Konsolationsschrift schlechthin, sie gehörte zur
Standardlektüre des Johannes von Tepl und seiner Schüler.

29,18 *plonen: plânen* ›freie Plätze, Ebenen‹.

29,27 *aller welt auffhaltung:* Als *aufhalterin* oder *aufhaltung* erscheint in Spruch- und Lieddichtung verschiedentlich die Gottes-
mutter Maria; Jungbluth, Kommentar, S. 202. Auch damit, daß er
die Frau hier zum »kosmische[n] Lebensgesetz« stilisiert, »rekurriert der Kläger [...] auf das Prinzip einer paradiesischen, prälap-
sarischen Anthropologie«; Huber (1988), S. 354.

29,29 *beyslege:* ›schlechte, nachgeschlagene Münzen‹; Jelinek, Mhd.
Wörterbuch, S. 63; hier zuerst belegt.

29,32 *brige:* möglicherweise eine Neubildung im Anklang an altfrz.
brigue ›Schlägerei, Tumult, Streit‹ (Bertau, Kommentar, S. 563 f.)
oder ital. *briga* ›Streit, Kampf, Krieg‹ (Dante). Die Lesart von H
(*kriege*) böte dann eine deutsche Entsprechung.

30. Kapitel

30,1 *kot: köte* ›Knöchel‹, aus dem Slawischen kommend; vgl. Lorenz Diefenbach, Mittellateinisch-hochdeutsch-böhmisches Wörterbuch nach einer Handschrift vom Jahre 1470, Frankfurt a. M.
1846, Sp. 252 f.: *sordissa.*

30,5–15 Die Passage folgt unter kleineren Umstellungen Lothar
von Segni, ›De miseria humane conditionis‹ (s. Anm. zu 20,34)
II,1: *Tria maxima solent homines affectare: opes, voluptates, honores. De opibus prava, de voluptatibus turpia, de honoribus vana
procedunt. Hinc enim Iohannes apostolus ait: »Nolite diligere
mundum, neque ea que in mundo sunt; quia quidquid est in
mundo concupiscentia carnis est et concupiscentia oculorum et superbia vite«* [1. Johannesbrief 2,16]. *Concupiscentia carnis ad voluptates, concupiscentia oculorum ad opes, superbia vite pertinet
ad honores. Opes generant cupiditates et avaritiam, voluptates pa-
riunt gulam et luxuriam, honores nutriunt superbiam et iactan-
tiam* (»Drei Dinge begehren üblicherweise die Menschen am meisten: Reichtum, Lust und Ehre. Vom Reichtum kommt Schlechtes, von der Lust Schändliches, von der Ehre Eitles. Von daher
sagt der Apostel Johannes: ›Ihr sollt nicht die Welt hochschätzen

und nicht, was in ihr ist, denn alles, was in der Welt ist, ist entweder Begierde des Fleisches oder Begierde der Augen oder Hochmut des Lebens.‹ Die Begierde des Fleisches zielt auf Lust, die
Begierde der Augen auf Reichtum, der Hochmut des Lebens auf
Ehre. Der Reichtum erzeugt Gier und Geiz, die Lust bringt Ge-
nuß- und Verschwendungssucht hervor, die Ehre nährt Hochmut
und Überheblichkeit.«).

30,19–31 Manche der im folgenden genannten Beispielfiguren, an
denen der Tod wie im 18. Kapitel seine universale geschichtliche
Präsenz demonstriert, kommen im Rahmen der Minne- und To-
desparadigmatik vor, doch gibt es für die spezifische Zusammenstellung kein genaues Vorbild; vgl. Jungbluth, Kommentar,
S. 206–208.

30,20 *Pyramum / Tyspen:* berühmtes Liebespaar, das sich gegen den
Widerstand der Eltern fand und schließlich nach einer Reihe von
Mißverständnissen im Selbstmord endete; Grundlage der Stoffge-
schichte ist Ovid, ›Metamorphoses‹ 4,55 f.

30,25 *marggraff Wilhelm:* durch französische Chansons de geste
und Wolframs von Eschenbach ›Willehalm‹ (samt Fortsetzungen)
bekannt gewordene epische Überformung des Grafen Wilhelm
von Toulouse, der unter Karl dem Großen und Ludwig dem
Frommen in Südfrankreich gegen die Sarazenen gekämpft hatte.

30,25 f. *Dietherich von Pern:* im Mittelalter bekanntester Held der
germanisch-deutschen Sagenwelt, dessen Taten, in zahlreichen
Epen ausgestaltet, mit der zugrunde liegenden historischen Figur,
dem Ostgotenkönig Theoderich dem Großen (um 455 – 526), nur
entfernt verbunden sind.

30,26 *starcken Poppen:* Sangspruchdichter des ausgehenden 13. Jahrhunderts, der im Meistersang des 15./16. Jahrhunderts als einer
der zwölf alten Meister galt; bereits Konrad von Megenberg, ›Das
Buch der Natur‹ (hrsg. von Franz Pfeiffer, Stuttgart 1861)
197,10 f. bezeichnet ihn als *starken Poppen.*

30,26 f. *hurnyn Seyfrydt:* Siegfried aus dem Nibelungen-Stoffkreis,
der durch das Bad im Drachenblut eine vor Verletzung schüt-
zende Hornhaut erwarb.

30,28 *Auicennam:* arabischer Arzt und Aristoteles-Kommentator
(980–1037).

31. Kapitel

31,1 *verteylt:* ›verurteilt‹.

31,3 *etwas vnd doch nicht ein geyst:* Der Kläger bezieht sich zurück auf das Diktum des Todes aus dem 16. Kapitel, nimmt aber die dortige kategorial-philosophische Definition nur in verzerrter Form auf.

31,15 *gerichtes:* Adverb, ›geradewegs‹, hier vielleicht zugleich ein Wortspiel mit homonymem *gerichtes* ›von Gerichts wegen‹, relationaler Genitiv des st. Neutrums *gericht* (Mhd. Grammatik, S. 343 f., § 365 f.; Huber, 1988, S. 329) – eine mehr emphatisch als theologisch begründete Gerichtsvorstellung (s. 31,16 f.).

31,16 f. *die lebendigen vnd die toten:* Anspielung auf Christus, den Weltenrichter, *qui iudicaturus est vivos et mortuos* (»der einmal richten wird Lebendige und Tote«; 2. Timotheusbrief 4,1), *qui paratus est iudicare vivos ac mortuos* (»der bereitsteht, Lebende und Tote zu richten«; 1. Petrusbrief 4,5).

31,21 *vbersehen:* wohl eher im Sinne des allwissenden Überblickens denn im Sinne des gnädigen Vergebens; Bertau, Kommentar, S. 599 f.

31,26 *Plato vnd ander weyssagen:* Der Name Platons kennzeichnet den Anspruch auf universale philosophisch-kosmologische Welterklärung, vielleicht in gesuchtem Kontrast zu den vom Tod herangezogenen Autoritäten Seneca (20,7) und Aristoteles (22,15). Gedacht ist wohl nicht an eine bestimmte Textstelle, zumal der Gedanke des Wechselspiels von Werden und Vergehen im Mittelalter nicht unbedingt aus Platon, sondern z. B. auch aus der aristotelischen Schrift ›De generatione et corruptione‹ (338a 1,17 – 338b 5,20) bekannt war. Auch bei Heinrich von Mügeln (s. Anm. zu 26,20) konnte man lesen, daß *störens und geberens ein gebuwe / ist himels und der speren tat* (34,8 f.; s. a. Hübner, 1935/68, S. 327–329).

31,27–30 *vnd wie … ewig sey:* Der syntaktisch schwierige Satz (den Jungbluth durch Konjektur **verwandelnd* für *verwandelt* verständlicher zu machen suchte) wurde anscheinend in der Überlieferung früh gestört. Die Lesart von H mag immerhin dem ursprünglichen Text nahekommen; sie dürfte wie an anderer Stelle (26,36) auf einem korrigierenden Randnachtrag basieren.

31,28 *ewigkeyt:* Mit der nur in H überlieferten, im Kontext sinnvollen Lesart (nur in H auch 31,30: *ewig*) scheint sich Johannes von

Tepl auf der Bahn der umstrittenen, von Aristoteles entwickelten Lehre von der Ewigkeit der Welt zu bewegen. Doch vermeidet er eine explizite Aussage über die Ursprungslosigkeit der Welt, die christlichem Dogma entgegenliefe und den 1277 vom Pariser Bischof Etienne Tempier inkriminierten Sätzen entspräche (4. Satz: *Quod nichil est eternum a parte finis, quod non sit eternum a parte principii;* »Nichts ist ewig in bezug auf sein Ende, was nicht auch in bezug auf seinen Ursprung ewig wäre«; Aufklärung im Mittelalter? Die Verurteilung von 1277. Das Dokument des Bischofs von Paris, eingel., übers. und erkl. von Kurt Flasch, Mainz 1989, S. 101 f.). Johannes bleibt auf der Linie Heinrichs von Mügeln (8,1–3: *Dem himel got gesetzet hat ein wares zil: / die speren er in stetem loufen haben wil, / uß ewikeit gebuwet ist in orden),* blendet nur spezifisch Theologisches aus: Der Kläger denkt sich den von Gott geschaffenen und vom Menschen in privilegierter Weise bewohnten Kosmos ohne direkten Bezug auf die christliche Heilsgeschichte.

32. Kapitel

32,10 *fewers flammen stettigkeyt:* wohl eine Anspielung auf die um 1400 fest verankerte Vorstellung vom Fegfeuer als drittem Jenseitsort; vgl. Jacques LeGoff, Die Geburt des Fegefeuers. Vom Wandel des Weltbildes im Mittelalter, München 1990.

32,10 *han ich:* Gelegentlich benutzt der Tod im ›Ackermann‹ die Ich-Form und nicht den pluralis maiestatis (10,2; 12,18; 24,10.31); hier mag die Ich-Form, die den Tod zum Sprachrohr Gottes macht, Zeichen sein für eine Auflösung der Rollenprofile: Am Ende des Kapitels wird sich der Tod selbst als eine, wenn auch größte Widerwärtigkeit des menschlichen Lebens bezeichnen.

32,15 *vns besorgende:* Mit der Angst vor dem Tod korrespondierte im Spätmittelalter der zunehmende Versuch, das Seelenheil berechenbar zu machen; vgl. Jacques Chiffoleau, La comptabilité de l'au-delà. Les hommes, la mort et la religion dans la région d'Avignon à la fin du moyen âge (vers 1320 – vers 1480), Rom 1980; Jean Delumeau, Le péché et la peur. La culpabilisation en Occident (XIIIe–XVIIIe siècles), Paris 1983; Peter Dinzelbacher, Angst im Abendland. Teufels-, Todes- und Gotteserfahrung: Mentalitätsgeschichte und Ikonographie, Paderborn [u. a.] 1996.

32,20–54 Im Hintergrund der Passage steht eine ihrerseits auf der
Bibel basierende, in beeindruckender rhetorischer *variatio* gestal-
tete Passage aus Lothars von Segni ›De miseria humane conditionis‹ (s. Anm. zu 20,34) I,13,1–14,1: *Currunt et discurrunt mor-*
tales per sepes et semitas, ascendunt montes, transcendunt colles,
transvolant rupes, pervolant alpes, transgrediuntur foveas, ingre-
diuntur cavernas, rimantur viscera terre, profunda maris, incerta
fluminis, opaca nemoris, invia solitudinis, exponunt se ventis et
imbribus, tonitruis et fulminibus, fluctibus et procellis, ruinis et
precipitiis. Metalla cudunt et conflant, lapides sculpiunt et poliunt,
ligna succidunt et dolant, telas ordiuntur et texunt, vestes incidunt
et consuunt, edificant domos et plantant hortos, excolunt agros,
pastinant vineas, succendunt clibanos, extruunt molendina, pis-
cantur, venantur et aucupantur. Meditantur et cogitant, consilian-
tur et ordinant, querulantur et litigant, diripiunt et furantur, deci-
piunt et mercantur, contendunt et preliantur, et innumera talia ut
opes congregent, ut questus multiplicent, ut lucra sectentur, ut ho-
nores acquirant, ut dignitates extollant, ut potestates extendant.
Et hec quoque labor et mentis afflictio. Si michi non creditur, Sa-
lomoni credatur: »*Magnificavi, inquit, opera mea, edificavi michi*
domos et plantavi vineas, feci hortos et pomaria, consevi ea cuncti
generis arboribus. Extruxi michi piscinas aquarum ut irrigarent
silvam lignorum germinantium, possedi servos et ancillas, mul-
tamque familiam habui, armenta quoque et magnos ovium gre-
ges, ultra omnes qui fuerant ante me in Ierusalem. Coacervavi
michi aurum et argentum et substantias regum et provinciarum.
Feci michi cantores et cantatrices et delicias filiorum hominum,
scyphos et urceos in ministerio ad vina fundenda, et supergressus
sum opibus omnes, qui ante me fuerunt in Ierusalem. Cumque me
convertissem ad universa, que fecerant manus mee et ad labores
quibus frustra sudaveram, vidi in omnibus vanitatem et afflictio-
nem animi, et nichil permanere sub sole« [Kohelet 2,4–11] *quod*
non sit labor et afflictio spiritus. O quanta mortales angit anxietas,
affligit cura, sollicitudo molestat, metus exterret, tremor concutit,
horror abducit, dolor affligit, conturbat tristitia, turbatio tristatur.
Pauper et dives, servus et dominus, coniugatus et continens, deni-
que bonus et malus, omnes mundanis cruciatibus affliguntur et
mundanis afflictionibus cruciantur (»Hin und her laufen die
Sterblichen, über Zäune hinweg und auf Pfaden, erklettern Berge,
überschreiten Hügel, überfliegen Schluchten, durcheilen Alpen,

durchqueren Gruben, dringen ein in Höhlen, durchforschen das
Innere der Erde, die Tiefe des Meeres, die Unberechenbarkeit des
Flußes, die Dunkelheit des Waldes, die Unwegsamkeit der Ein-
öde; sie setzen sich Wind und Wasser aus, Blitz und Donner, Flut
und Sturm, Sturz und Untergang. Metalle gießen und schmelzen
sie, Steine bearbeiten und verfeinern sie, Hölzer fällen und hobeln sie, Gewebe wirken und weben sie, Gewänder schneidern
und flicken sie; sie bauen Häuser und pflanzen Gärten, sie be-
bauen Äcker, behacken Weinberge, brennen Gefäße, errichten
Mühlen; sie fischen, jagen und fangen Vögel. Sie sinnieren und
überlegen, beraten sich und ordnen, klagen und streiten, rauben
und stehlen, betrügen und handeln, kämpfen und kriegen und
tun Unzähliges mehr, um ein Vermögen zusammenzubringen,
um den Gewinn zu vermehren, um Reichtum nachzujagen, um
Ehre anzuhäufen, um ihre Würde zu erhöhen, um ihre Macht
auszudehnen. Und dies alles ist zugleich Mühe und Beschwerung
des Geistes. Wenn man mir nicht glaubt, möge man Salomon
glauben: ›Ich schuf große Werke, baute mir Paläste und pflanzte
Weinberge, ich legte Gärten an und Parks und bepflanzte sie mit
Bäumen jeder Art. Ich legte mir Wasserteiche an, um daraus die
jungen Baumanlagen zu bewässern, ich besaß Knechte und
Mägde und hatte eine große Familie, auch Herden und große
Mengen an Schafen, mehr als alle vor mir in Jerusalem. Ich häufte
mir Gold und Silber auf und die Schätze von Königen und Ländern. Ich verschaffte mir Sänger und Sängerinnen und den Über-
fluß der Menschensöhne, Becher und Krüge, um den Wein fließen
zu lassen, und übertraf an Reichtum alle vor mir in Jerusalem.
Und da ich mich umwandte zu all den Werken, die meine Hände
vollbracht hatten, und zu den Mühen, die ich nutzlos unternom-
men hatte, sah ich in allem Nichtigkeit und Beschwerung des
Geistes und fand nichts dauern unter der Sonne‹, nichts, das nicht
Mühe und Beschwerung des Geistes gewesen wäre. Oh, wie sehr
bedrängt die Sterblichen Angst, peinigt sie Sorge, betrübt sie
Kummer, erschreckt sie Furcht, erschüttert sie Schrecken, verleitet
sie Entsetzen, peinigt sie Schmerz, verwirrt sie Traurigkeit, macht
sie traurig Verwirrung. Der Arme und der Reiche, der Knecht
und der Herr, der Verheiratete und der Enthaltsame, schließlich
der Gute und der Böse, sie alle werden durch weltliche Sorgen gepeinigt und durch weltliche Beschwernisse gemartert.«). Auch

der Autor von ›Cogor adversum te‹ hat sich im übrigen von der ›Kohelet‹-Passage anregen lassen; Hergemöller (1999), S. 116–118.

32,26–28 *slecht stollen / gruntgrube / glanczerden:* jeweils hier zum ersten Mal bezeugt; zum Bergbau in Mittelalter und früher Neuzeit: Michael Mitterauer, Grundtypen alteuropäischer Sozialisationsformen. Haus und Gemeinde in vorindustriellen Gesellschaften, Stuttgart - Bad Cannstatt 1979, S. 148–193; Hartmut Böhme, Natur und Subjekt, Frankfurt a. M. 1988, S. 67–144.

32,29 *wellen:* stsw. Verb, ›runden, rollen, wälzen‹, entspricht nur bedingt *dolare* (Diefenbach, Glossarium, Sp. 189[b]: *hawen, hobeln*) im lateinischen Text.

32,30 *zeunen:* sw. Verb, ›flechten, umzäunen‹, nach Druck a und Handschrift H; die meisten anderen Textzeugen weisen Entstellungen auf.

32,30 *klecken:* sw. Verb, ›aufrichten‹ (entsprechend *edificare* im lateinischen Text), hier aber wohl eher im Sinne von ›kleben‹.

32,50 f. *wenn, wo oder wie:* vgl. Johann von Neumarkt, ›Buch der Liebkosung‹ (s. Anm. zu 25,9) 23,9–11: [der Mensch] *weisz niht, wenn, wo oder wie, in welcher weisz er sterb.*

32,59 f. *kere von dem posen:* Psalm 33,15: *deverte a malo et fac bonum, inquire pacem et persequere eam* (»Laß ab vom Bösen und wirke das Gute, suche den Frieden und jage ihm nach«).

33. Kapitel

33,2 *vier erquicker:* Neben den zahlreichen lateinischen und deutschen Streitgedichten, in denen Sommer und Winter oder Frühling und Herbst einander gegenüberstehen, gibt es kaum solche, in denen alle vier Jahreszeiten auftreten; vgl. Hermann Jantzen, Geschichte des deutschen Streitgedichts im Mittelalter, Breslau 1896, S. 38–41; Hans Walther, Das Streitgedicht in der lateinischen Literatur des Mittelalters, München 1920 (Nachdr., mit einem Vorw., Nachträgen und Reg. von Paul Gerhard Schmidt, Hildesheim 1984), S. 34–45, 259 f. Mit dem Motiv der Vierzahl hebt im ›Ackermann‹ das göttliche Schlußurteil den Gegensatz der Streitenden in der höheren Einheit der Schöpfung, im wechselseitigen Zusammenhang von Werden und Vergehen auf. In ähnlicher Weise begegnet das Motiv, allerdings im Kontext des Schöpfungspreises, bei Boethius, ›De consolatione philosophiae‹ (s. Anm. zu 2,2 f.) 1 m. 5, 14–28 und 4 m. 6, 25–29: *His de causis vere tepenti / Spirat florifer annus odores, / Aestas cererem fervida siccat, / Remeat pomis gravis autumnus, / Hiemem defluus inrigat imber* (»Diesem Gesetz nach atmet der Frühling / Blütenschwer seine feuchten Düfte, / Trocknet Saaten der heftige Sommer, / Kommt der Herbst mit Früchten beladen, / Näßt den Winter strömender Regen«); vgl. Burdach (1933/68), S. 204–207.

33,3 *zwyfürsig:* wohl eine Neubildung, in anderen Textzeugen ersetzt (*zwitrechtig* HBγ).

33,8 *zecht:* von *zechen,* sw. Verb, ›veranstalten, zustande bringen, zechen‹.

33,21 *anfertigung:* ›gerichtliche Anklage‹, in Hγ das vielleicht geläufigere Substantiv *anfechtung.*

33,22 *clager, hab ere, Tot, syge:* Die Lesart von ABγ *la herre tot syge* ist als Aufforderung, sich ins Unvermeidliche zu fügen, zwar sinnvoll, doch bleibt die Anrede des Todes als Herr in der Rede Gottes bedenklich und scheint überdies die parallele Adresse an beide Gesprächspartner im vorangehenden Satz vorbereitet.

33,22 f. *dem tode das leben:* Am Ende des göttlichen Urteils ist der Tod nicht mehr als personifizierte Figur, sondern als Prinzip der Kreatürlichkeit im Blick.

34. Kapitel

34Ü Mehrere Textzeugen haben trotz einer Blattversetzung im Archetyp, die zur Vertauschung von Abschnitten und Initialen führte, den Hinweis auf das Akrostichon (JOHANNES) bewahrt. Die Überschrift in A bringt wohl zum Ausdruck, daß nur die größeren Initialbuchstaben, nicht etwaige rote Lombarden für das Akrostichon zu berücksichtigen sind. Rekonstruiert ist die letzte Lage der Archetyp-Handschrift anhand der in den einzelnen Textzeugen vorliegenden Vertauschungen bei Maurice O'Connell Walsh, Establishing the Text of Der Ackermann aus Böhmen, in: Modern Language Review 52 (1957) S. 526–536, und bei Karl Bertau, Eine Beobachtung zur deutschen ›Ackermann‹-Überlieferung, in: Beiträge zur Geschichte der deutschen Sprache und Literatur 110 (1988) S. 408–411.

34,1 *gott aller gotter:* Alle Abschnitte des Gebets bestehen im grundsätzlichen aus Gottesinvokationen, die durch genitivische Konstruktionen gesteigert sind; sie repräsentieren eher ›Absolutive‹ denn schlichte Superlative; Bertau, Kommentar, S. 660. Allgemeines Vorbild sind – neben Bibel, kirchlicher Litanei und neuplatonischer ›Onto-Theologie‹ (Boethius, ›Consolatio‹ 3 m. 9: *O qui perpetua mundum ratione gubernas*) – die ps.-augustinischen ›Soliloquien‹ in der Übersetzung Johanns von Neumarkt, ›Buch der Liebkosung‹ (s. Anm. zu 25,9), z. B. 164,23–165,11: *Heiliger der heiligen, vnuergenckliche maiestat, got der goter, herr der herren, wunderhaftiger, vnsprechenleicher vnd vnbetrehtleicher herr, [...] aller almehtigster der geist alles fleischs;* Übersicht über die Parallelen (im Blick auf alle Schriften des Neumarkters) bei Hergemöller (1999), S. 97–103.

34,4 f. *kroner vnd die kron:* Johann von Neumarkt, ›Buch der Liebkosung‹ 183,9 f.: *Du bist selber der croner vnd die cron.*

34,6 *manschafft:* im rechtlichen Sinne ›Verhältnis eines Lehensmannes, Lehenspflicht, Belehnung, Mannen, Mannschaftsleistung‹; Jelinek, Mhd. Wörterbuch, S. 488; Wörterbuch der mhd. Urkundensprache 2, 13. Lfg. (1997), S. 1186 f.

34,7 *jndruck:* in der Mystik häufig für die *unio* zwischen Gott und der Seele gebrauchte Metapher; vgl. Grete Lüers, Die Sprache der deutschen Mystik im Werke der Mechthild von Magdeburg, München 1926, S. 201 f.

34,8 *alter greyser jungling:* als Bezeichnung für Christus gelegentlich in der Lieddichtung; z. B. Frauenlob (s. Anm. zu 9,7 f.) V,1,5: *der alte grise.* Im Hintergrund stehen mag der Darstellungstypus des alt wirkenden Christuskindes oder des als bärtiger Greis erscheinenden Erlösers.

34,9–15 Das lichtmetaphysische Invokationskolon folgt, unter Kenntnis auch der lateinischen Fassung, dem ›Buch der Liebkosung‹ (s. Anm. zu 25,9) 59,13–60,1: *Liht, das niht siht ein ander liht, schein, der niht siht ein andern schein, liht, das vervinstert ein ander licht, vnd liht, das verblendet ein iczlich auswendig liht. Liht, von dem alles liht, schein, von dem aller schein, czu dem vnd czu des ahtung alle liht sein ein vinsternusz, czu dem aller schein ein schat ist, dem allew vinsternusz liht sein, dem aller schat erscheint.* In der mittelalterlichen Lichtmetaphysik wird traditionell zwischen *lux* als ontologischem und *lumen* als sinnfälligem Licht unterschieden; vgl. Klaus Hedwig, Sphaera Lucis. Studien zur Intelligibilität des Seienden im Kontext der mittelalterlichen Lichtspekulation, Münster 1980, S. 141, 149 u. ö.

34,14 *werde liecht:* ›Buch der Liebkosung‹ 25,13 f.: *Wort, das in dem beginstnüsz gesprochen hat:* ›Werd ein liht‹ (nach Genesis 1,3: *fiat lux*).

34,14 *fewr:* ›Buch der Liebkosung‹ 97,7 f.: *Fewer, das alleweg brynnet vnd nymmer derlischt.*

34,16 f. *weg an allen jrrsall:* ›Buch der Liebkosung‹ 27,15: *ein weg, an den irresal ist.*

34,17 f. *bessers, one … ist:* ›Buch der Liebkosung‹ 10,19 f.: *bestes, an das niht bessers ist.*

34,18 *lebenn, dem … leben:* ›Buch der Liebkosung‹ 12,6 f.: *leben, dem alle dinck leben.*

34,22 *nothafft:* substantivische Bildung zum Adjektiv *nôthaft* ›bedrängt, dürftig‹, zu verstehen als »der zwangsmäßige, notwendige Anziehungspunkt und Halt, die notwendige Kraftquelle aller guten Dinge«; Burdach (1933/68), S. 226.

34,23 *weysel der pein:* Zugrunde liegt die Vorstellung, daß sich die Bienen während des Schwärmens um die Königin (den Weisel) drängen; vgl. Burdach (1933/68), S. 213–231; Konrad von Megenberg, ›Buch der Natur‹ (vgl. Anm. zu 30,26) 288,16 f.: *die peinn habent sunderleich samnung vnd vliegent scharot zuo irm weisel.*

34,25 *arczt:* zu dieser auf Antike und Frühchristentum zurückgehenden Vorstellung s. Gerhard Fichtner, Christus als Arzt. Ursprünge und Wirkungen eines Motivs, in: Frühmittelalterl. Studien 16 (1982) S. 1–18.

34,29 *gruntfest:* vgl. 1. Korintherbrief 3,11: *fundamentum enim aliud nemo potest ponere praeter id quod positum est qui est Christus Iesus* (»Denn einen anderen Grund vermag niemand zu legen als den, der gelegt ist, und das ist Jesus Christus«).

34,31 *enig: einig*, substantiviertes Adverb, ›Eines, Einiges, Einziges‹.

34,33 *knode:* traditionelle Metapher der göttlichen Trinität; Bertau, Kommentar, S. 709.

34,40 *rechter:* vielleicht mitteldeutsche Form für *richter* (s. 15,28 m. Anm.).

34,40 *mittel vnd zirckelmaß:* Gedacht sein mag hier an die bekannte philosophische Definition Gottes als *sphera infinita cuius centrum est ubique, circumferentia vero nusquam* (»unendliche Kugel, deren Mittelpunkt überall, deren Umfang aber nirgends ist«); vgl. Le Livre des XXIV Philosophes, traduit du latin, édité et annoté par Françoise Hudry, Grenoble 1989, S. 93–96 u. ö.

34,42 *Nahender beystendiger:* flektierte Form des Part. Präs. *nahent*, verbunden mit substantivierter Form des Adjektivs *beistendig/bîstendec.*

34,44 *sigell:* s. Anm. zu 34,7.

34,47 *plonete:* Die Bezeichnung Gottes als ›Planet‹ (im mittelalterlichen Sinne: ein selbständiger Stern mit eigenem Himmel, auch die Sonne) ist anderweitig nicht belegt.

34,53 f. *jmerliecht / Panerfürer:* Neubildungen.

34,56 *tremmer:* ›Begrenzer, Verriegeler‹, wohl zum sw. Verb *trêmen (drämen, trâmen)* ›mit Balken versehen‹; Jelinek, Mhd. Wörterbuch, S. 723.

34,59 *mültawes:* Pflanzenkrankheit des Mehltaupilzes.

34,59 f. *mitprauchung:* mhd. *mitebrûchunge,* eigentlich ›Mitbenutzung‹; in H das wohl bekanntere Substantiv *mitwürkung.*

34,67 f. *weylwesen, zeyttwesen vnde ymmerwesen:* Neubildungen, die das Spektrum zwischen kürzester und längster Zeitspanne und Lebensdauer auffächern.

34,72 *empfahe genedigclichen:* entsprechend der *commendatio animae* des Sterberituals; vgl. Karl Stüber, Commendatio animae. Sterben im Mittelalter, Bern / Frankfurt a. M. 1976, S. 119 ff., 235.

34,74 f. *deiner genaden tawe:* Tau als Metapher für die Gnade der Gottheit ist verschiedentlich belegt; Lüers (s. Anm. zu 34,7), S. 270 f.

34,75 *schatten deiner flugel:* Psalm 16,8: *Sub umbra alarum tuarum protege me* (»im Schatten deiner Flügel beschütze mich«).

34,77 f. *von dannen sie komen ist:* Damit wird wohl nicht ausdrücklich der im Mittelalter sonst verworfene Glaube an die Präexistenz der Seele zum Ausdruck gebracht (vgl. Thomas von Aquin, ›Summa theologiae‹ I,1,118,3 [582]), vielmehr das auch von Boethius vertretene neuplatonische Prinzip von Ausgang (*exitus*) und Rückgang (*reditus*); zu diesem Zusammenhang auch Burdach (1933/68), S. 191–195, 205–207. Einen biblischen Bezugspunkt böte das Wort Christi bei Johannes 8,14: *scio unde veni et quo vado* (»ich weiß, woher ich gekommen bin und wohin ich gehe«).

34,79 *Mich rewet:* geläufige Formel im Kontext von Totenklagen; Nachweise bei Jungbluth, Kommentar, S. 241.

34,79 *Margaretha:* Hier erst fällt der Name der Verstorbenen, ein
sprechender Name (›Perle‹). Die Nennung schreibt die Erinnerung in den Text ein und begründet sie, durch erneute Beiziehung
der gesamten Schöpfung (kontrastiv zu 1,19), zugleich als den
Text überschreitende.

Begleitschreiben

Ü *Petro Rothers:* Der in der Überschrift genannte Jugendfreund
scheint der intellektuellen Elite seiner Zeit angehört zu haben. Er
wirkte – wenn man entsprechende Urkundenbelege auf die glei-
che Person bezieht – als Geldgeber der Stadt Saaz, erwarb
Grundbesitz in Prag und gehörte dort zu den Ratsherren; vgl.
Rudolf Schreiber, Peter Rothirsch von Prag, der Freund des
Ackermanndichters, in: Zeitschrift für sudetendeutsche Ge-
schichte 4 (1940) S. 287–294. Über der Überschrift befindet sich –
nach Albrecht Hausmanns (brieflicher) Korrektur von Bertaus
Lesung – eine andere mit Tilgungszeichen versehene Überschrift:
Littera curiosior directa Victori iudeo (»Hochanspruchsvolles
Schreiben, gerichtet an den Juden Victor«).

Ü *de nouo dictato:* Dies meint vermutlich nicht, daß der Text »von
neuem« (so Rosenfeld), sondern daß er »vor kurzem« (so Heilig,
Bertau u. a.) verfaßt wurde; im Brief selber heißt es, das Büchlein
komme »gerade« (*iam*, Z. 9) vom Amboß.

2 *ciuis Zacensis:* Der Brief muß also vor der 1411 erfolgten Über-
siedlung des Johannes von Tepl in die Prager Neustadt verfaßt
sein.

4 f. *vestri memoria consolari:* Ob hier an einen Trost des Freundes
oder an einen Selbsttrost gedacht ist, läßt sich sprachlich nicht
entscheiden.

5 f. *ex agro rethoricalis iocunditatis:* Auch hier begegnet die Ackermetaphorik, die im Streitgespräch (s. 3,1; 26,22–25) eine wichtige
Rolle spielt.

8 *ligwagio:* von mittellat. *li(n)guagium/linguarium* (Diefenbach,
Glossarium, Sp. 331[b]: *sprache*).

10 f. *jnueccio contra fatum mortis ineuitabile:* Die einzige inhaltliche
Aussage über das Streitgespräch erwähnt den Tod nicht als Figur,
sondern als Fatum und Faktum.

11 f. *rethorice essencialia exprimuntur:* Die Hauptformen der Rhetorik werden im Begleitschreiben nicht nur benannt, sondern selbst in kunstvoller Form vorgeführt: »Auf vier längere antithetisch gebaute Perioden folgen vier Kurzsätze, ein vorangestellter Oberbegriff und eine beschließende Zusammenfassung stützen den Bau ab«; Vogt-Herrmann (1962), S. 41.

18 *arenga:* in Urkunden eine rhetorische Eingangswendung meist topisch-allgemeinen Charakters.

20 *colores:* Die Diskussion der *colores rhetoricales* wird im böhmischen Raum der Zeit um 1400 greifbar, ist jedoch für die Stilpraxis des Johannes von Tepl nicht bestimmend geworden; vgl. Samuel Peter Jaffe, Nicolaus Dybinus' Declaracio Oracionis de beata Dorothea. Studies and Documents in the History of Late Medieval Rhetoric, Wiesbaden 1974, S. 54–58; Hans Szklenar, Magister Nicolaus de Dybin. Vorstudien zu einer Edition seiner Schriften zur Geschichte der literarischen Rhetorik im späteren Mittelalter, München 1981, S. 39.

22 f. *in hoc ydeomate jndeclinabili:* Der jahrhundertealte Topos von der Ungeformtheit der deutschen Sprache (s. Z. 7 f.) wurde auch von Johann von Neumarkt, dessen Übersetzungen Johannes von Tepl viel verdankt, aufgegriffen; s. Brief an Kaiser Karl IV. (Briefe Johanns von Neumarkt, hrsg. von Paul Piur, Berlin 1937, S. 51 f.) Nr. 29, Z. 3–22: *Ista felix materia Soliloquiorum sancti Augustini [...] est multis difficultatibus et perplexissimis sentencijs inuoluta [...], presertim cum incompta verba lingwe theutonice non nisi magne et exquisite sedulitatis studio florentis tanti doctoris coloribus potuerint adaptari, cum non sibi conueniant neque aptis sedibus commorari consueuerint wlgaris sermonis rusticitas ac famande gramatice siderea pulchritudo* (»Dieser heilbringende Stoff der ›Alleingespräche‹ des Heiligen Augustinus [...] ist gekleidet in verschlungene Sätze, die viele Schwierigkeiten bereiten [...], besonders, da die rohen Wörter der deutschen Sprache nur unter Aufbietung gewaltigen und gründlichen Eifers dem blumenreichen Satzschmuck eines so gelehrten Autors angepaßt werden könnten, stimmen doch die Plumpheit der volkssprachigen Rede und die strahlende Schönheit der ruhmvollen Grammatik nicht zusammen und pflegen sie nicht an den gleichen Stellen zu verweilen«); vgl. Joseph Klapper, Johann von Neumarkt, Bischof und Hofkanzler. Religiöse Frührenaissance in Böhmen zur Zeit Kaiser Karls IV., Leipzig 1964, S. 20 f.

23 *intentus … auscultator:* Damit könnte durchaus die spezifische
   Klanglichkeit des Textes angedeutet sein, die spätere Drucke in
   ihren Überschriften betonten (Straßburg: M. Flach, 1520, f. 1ʳ:
   kurtzweilig zuo lesen / vnd auch guot zuo hören; Straßburg:
   Schürer Nachfolger, um 1521, f. 1ʳ: *nützlich / tröstlich vnd ergötz-
   lich zuo hören vnd zuo lesen*).
24 *enuditibus:* wohl zu *enodis* ›glatt, biegsam, leicht‹; korrekt wäre
   der Ablativ *enodibus*; Hergemöller (1999), S. 109.
24 f. *stipilis: stipulis*; zu *i* für *u* Peter Stotz, Handbuch zur lateinischen Sprache des Mittelalters, Bd. 3, München 1996, S. 69 (§ 54).
25 *Nicolaum Iohlinni:* Über den Schüler und Zögling des Johannes
   von Tepl, der als Überbringer des persönlichen Exemplars fungierte, ist weiter nichts bekannt.
26 Der Infinitiv *amari* (meist durch konjiziertes *amanu* ersetzt)
   bleibt im Kontext des Satzes ebenso schwer verständlich wie das
   abschließende *preessendum*; vgl. Bertau, Kommentar, S. 54.
27 *effectibus:* häufige Schreibvariante für *affectibus*; Mittellateini-
   sches Wörterbuch 1 (1967), Sp. 351 f.
29 f. *uigilia beatj Bartholomei:* 23. August.
30 *Anno 1428ᵘᵒ:* Das Datum ist nicht das des Originals, sondern das
   einer Abschrift; es begegnet auch bei anderen Briefmustern der
   gleichen Sammlung. Die datierbaren Stücke der Sammlung fallen
   in die Jahre 1402 bis 1404; in ihnen wird man sich auch das Begleitschreiben entstanden denken dürfen.

Literaturhinweise

Im folgenden wird eine Auswahl der wichtigsten Titel geboten. Für vollständigere Verzeichnisse sei auf die Ausgaben von Jungbluth (1969/83) und Bertau (1994) verwiesen. Forschungsreferate bieten Sichel (1971), Hahn (1984) und Firchow (1989).

Ausgaben
(›Ackermann‹, chronologisch)

Der Ackermann aus Böhmen. Einleitung, kritischer Text, vollständiger Lesartenapparat, Kommentar. Hrsg. von Alois Bernt und Konrad Burdach. Berlin: Weidmann, 1917.

Johannes von Tepl. Der Ackermann aus Böhmen. Textausgabe von Arthur Hübner. Leipzig: Hirzel, 1937. ²1954 [mit Nachträgen von Helmuth Thomas]. ³1965.

Johannes von Tepl. Der ackerman. Auf Grund der deutschen Überlieferung und der tschechischen Bearbeitung hrsg. von Willy Krogmann. Wiesbaden: Brockhaus, 1954. ⁴1978.

Johannes von Saaz. Der Ackermann aus Böhmen. Hrsg. von Günther Jungbluth. Bd. 1. Heidelberg: Winter, 1969. Bd. 2: Kommentar. Aus dem Nachlaß hrsg. von Rainer Zäck. 1983.

Johannes von Tepl. Der Ackermann aus Böhmen. A Working Edition with Introduction, Notes and Glossary, and the Full Text of Mss E and H by M[aurice] O'C[onnell] Walshe. Hull: University Press, 1982.

Die ›Ackermann‹-Handschriften E (clm 27063) und H (cgm 579). Faksimiles, Transkriptionen und bereinigte Texte mit kritischem Apparat. Hrsg. von Werner Schröder. 2 Bde. Wiesbaden: Reichert, 1987. [Dazu Karl Bertau in: Beiträge zur Geschichte der deutschen Sprache und Literatur 116 (1994) S. 499–512.]

Johannes von Saaz. Der Ackermann aus Böhmen. Gesamtfaksimileausgabe der Handschriften und Drucke a und b. Hrsg. und mit einem Komm. von James C. Thomas. Bd. 1 [Faksimilehefte]. Bern [u. a.]: Lang, 1990.

Johannes de Tepla Civis Zacensis. Epistola cum Libello ackerman
und Das büchlein ackerman. Nach der Freiburger Hs. 163 und
der Stuttgarter Hs. HB X 23. Hrsg. von Karl Bertau. Bd. 1 [Text
und Übersetzung]. Bd. 2: Untersuchungen [Kommentar]. Berlin / New York: de Gruyter, 1994. [Dazu Werner Schröder in:
Mittellatein. Jahrb. 30,1 (1995) S. 146–155; Euphorion 90 (1996)
S. 348–361; Christian Kiening in: Beiträge zur Geschichte der
deutschen Sprache und Literatur 118 (1996) S. 234–256.]

Ausgaben
(›Ackermann‹-Umkreis)

Blaschka, Anton: Das St.-Hieronymus-Officium des ›Ackermann‹-
Dichters. In: Heimat und Volk. Fs. für Wilhelm Wostry. Hrsg.
von Anton Ernstberger. Brünn [u. a.]: Rohrer, 1937. S. 109–155.

Hergemöller, Bernd-Ulrich: Cogor adversum te. Drei Studien zum
literarisch-theologischen Profil Karls IV. und seiner Kanzlei. Warendorf: Fahlbusch, 1999. S. 1–45. [Ausg. und Übers. von ›Cogor
adversum te‹.]

Katzerowsky, W.: Ein Formelbuch aus dem XIV. Jahrhunderte. In:
Mittheilungen des Vereins für Geschichte der Deutschen in Böhmen 29 (1890/91) S. 1–30.

Schlesinger, Ludwig: Zwei Formelbücher des XIV. Jahrhunderts aus
Böhmen. In: Mittheilungen des Vereins für Geschichte der Deutschen in Böhmen 27 (1888/89) S. 1–35.

– Urkundenbuch der Stadt Saaz bis zum Jahre 1526. Leipzig:
Brockhaus, 1892.

Tkadleček. K vydání upravili Hynek Hrubý a František Šimek.
Prag: CAVU, 1923. – Modernisierte Ausg. hrsg. von Ludmila
Kubíková und František Šimek. Prag: Odeon, 1974.

Der alttschechische Tkadleček (›Der Weber‹). In deutscher Übers.
von Rolf Ulbrich. Berlin: [Eigenverlag], 1990.

Hilfsmittel

Diefenbach, Lorenz: Glossarium latino-germanicum mediae et infimae aetatis. Frankfurt a. M. 1857. – Unveränd. reprogr. Nachdr.: Darmstadt 1997.

Grammatik des Frühneuhochdeutschen. Beiträge zur Laut- und Formenlehre. Hrsg. von Hugo Moser, Hugo Stopp [und Werner Besch]. Bd. 1. Tl. 1–3: Vokalismus der Nebensilben. Bd. 3: Flexion der Substantive. Bd. 4: Flexion der starken und schwachen Verben. Bd. 6: Flexion der Adjektive. Bd. 7: Flexion der Pronomina und Numeralia. Heidelberg 1970–91.

Jelinek, Franz: Mittelhochdeutsches Wörterbuch zu den deutschen Sprachdenkmälern Böhmens und der mährischen Städte Brünn, Iglau und Olmütz (XIII. bis XVI. Jahrhundert). Heidelberg 1911.

Paul, Hermann: Mittelhochdeutsche Grammatik. 23. Aufl. Neu bearb. von Peter Wiehl und Siegfried Grosse. Tübingen 1989.

Wörterbuch der mittelhochdeutschen Urkundensprache auf der Grundlage des Corpus der altdeutschen Originalurkunden bis zum Jahr 1300. Unter Leitung von Bettina Kirschstein und Ursula Schulze bearb. von Sibylle Ohly und Peter Schmitt. Bd. 1 ff. Berlin 1994 ff.

Forschungen

Bäuml, Franz H.: Rhetorical Devices and Structure in the ›Ackermann aus Böhmen‹. Berkeley / Los Angeles 1960.

– ›Tradition‹, ›Ursprünglichkeit‹ und der Dichtungsbegriff in der ›Ackermann‹-Forschung. In: Orbis Mediævalis. Festgabe für Anton Blaschka. Hrsg. von Horst Gericke, Manfred Lemmer und Walter Zöllner. Weimar 1970. S. 9–30.

Beer, Karl: Neue Forschungen über den Schöpfer des Dialogs ›Der Ackermann aus Böhmen‹. In: Jahrbuch des Vereines für Geschichte der Deutschen in Böhmen 3 (1930–33) S. 1–56. –Wiederabdr. in: Schwarz (1968) S. 60–129.

Bernt, Alois: Forschungen zum ›Ackermann aus Böhmen‹. In: Zeitschrift für deutsche Philologie 55 (1930) S. 160–208 und 301–337.

Bertau, Karl: Die Handschrift Stuttgart HB X 23 als Grundlage einer neuen ›Ackermann‹-Ausgabe. München 1991. (Sitzungsberichte der Bayerischen Akademie der Wissenschaften. Phil.-hist. Klasse. 1991,4.)

– Über das Verhältnis von Autor und Werk am Beispiel von Wolfram von Eschenbach und Johann von Sitbor. In: Methodenkonkurrenz in der germanistischen Praxis. Vorträge des Augsburger Germanistentages 1991. Bd. 4. Hrsg. von Johannes Janota. Tübingen 1993. S. 77–93.

– ›Tkadleček‹ und ›Ackermann‹ in Prag. In: Wolfram-Studien 13 (1994) S. 237–261.

Blaschka, Anton: Ackermann-Epilog. In: Mitteilungen des Vereins für Geschichte der Deutschen in Böhmen 73 (1935) S. 73–87. – Wiederabdr. in: Schwarz (1968) S. 345–367.

– Zwei Beiträge zum Ackermann-Problem. In: Deutsch-tschechische Beziehungen im Bereich der Sprache und Kultur. Hrsg. von B[ohuslav] Havránek und R[udolf] Fischer. Leipzig 1965. (Sitzungsberichte der Leipziger Akademie der Wissenschaften. Phil.-hist. Klasse. 57. H. 2.) S. 45–62.

Bok, Václav: Zwei Beiträge zu Johannes von Tepl. In: Zeitschrift für deutsches Altertum und deutsche Literatur 118 (1989) S. 180–189.

Brandmeyer, Klaus: Rhetorisches im ›ackerman‹. Untersuchungen zum Einfluß der Rhetorik und Poetik des Mittelalters auf die literarische Technik Johanns von Tepl. Diss. Hamburg 1970.

Burdach, Konrad: Der Dichter des Ackermann aus Böhmen und seine Zeit. Berlin 1926–32.

– Platonische, freireligiöse und persönliche Züge im ›Ackermann aus Böhmen‹. In: Sitzungsberichte der Preußischen Akademie der Wissenschaften. Phil.-hist. Klasse. 1933,14. S. 610–674. – Wiederabdr. in: Schwarz (1968) S. 148–238.

Burger, Heinz Otto: Renaissance, Humanismus, Reformation. Deutsche Literatur im europäischen Kontext. Bad Homburg / Berlin / Zürich 1969.

Classen, Albrecht: Der ›Ackermann aus Böhmen‹ – ein literarisches Zeugnis aus einer Schwellenzeit: Mittelalterliches Streitgespräch oder Dokument des deutschen Frühhumanismus. In: Zeitschrift für deutsche Philologie 110 (1991) S. 348–373.

Doskočil, Karel: K pramenům ›Ackermanna‹. In: Sborník historický 8 (1961) S. 67–101.

Firchow, Evelyn: Was wissen wir über den Dichter des ›Ackermann aus Böhmen‹? In: Dialectology, linguistics, literature. Fs. for Carroll E. Reed. Ed. by Wolfgang W. Moelleken. Göppingen 1984. S. 72–92.

– Wege und Irrwege der Textkritik zum ›Ackermann aus Böhmen‹: Ein Forschungsüberblick. In: *in hôhem prîse*. A Fs. in Honor of Ernst S. Dick. Ed. by Winder McConnell. Göppingen 1989. S. 45–60.

Hahn, Gerhard: Die Einheit des Ackermann aus Böhmen. Studien zur Komposition. München 1963.

– Der Ackermann aus Böhmen des Johannes von Tepl. Darmstadt 1984.

Hammerich, L[ouis] L[eonor]: Der Text des ›Ackermanns aus Böhmen‹. Kopenhagen 1938.

– Der Dichter des ›Ackermann aus Böhmen‹ als lateinischer Schriftsteller. Vorläufige Mitteilung. In: Fides quaerens intellectum. Festskrift tilegnet Heinrich Roos. Kopenhagen 1964. S. 43–59.

Haug, Walter: Der Ackermann und der Tod. In: Das Gespräch. Hrsg. von Karlheinz Stierle und Rainer Warning. München 1984. S. 281–286.

Heilig, Konrad Joseph: Die lateinische Widmung des Ackermanns aus Böhmen. In: Mitteilungen des Instituts für österreichische Geschichtsforschung 47 (1934) S. 414–426. – Wiederabdr. in: Schwarz (1968) S. 130–147.

Henne, Helmut: Literarische Prosa im 14. Jahrhundert – Stilübung und Kunststück. In: Zeitschrift für deutsche Philologie 97 (1978) S. 321–336.

Hergemöller, Bernd-Ulrich: Cogor adversum te. Drei Studien zum literarisch-theologischen Profil Karls IV. und seiner Kanzlei. Warendorf 1999.

Hrubý, Antonín: Der ›Ackermann‹ und seine Vorlage. München 1971.

– Mittelalter und Renaissance im ›Ackermann aus Böhmen‹. In: Jahrbuch für Internationale Germanistik 8,3 (1980) S. 288–294.

Huber, Christoph: Die Aufnahme und Verarbeitung des Alanus ab Insulis in mittelhochdeutschen Dichtungen. Untersuchungen zu Thomasin von Zerklære, Gottfried von Straßburg, Frauenlob, Heinrich von Neustadt, Heinrich von St. Gallen, Heinrich von Mügeln und Johannes von Tepl. München 1988. S. 314–362.

Hübner, Arthur: Das Deutsche im Ackermann aus Böhmen. In: Sitzungsberichte der Preußischen Akademie der Wissenschaften. Phil.-hist. Klasse. 1935,18. S. 323–398. – Wiederabdr. in: Schwarz (1968) S. 239–344.

– Zur Überlieferung des ›Ackermanns aus Böhmen‹. Berlin 1937.

– Deutsches Mittelalter und italienische Renaissance. In: Zeitschrift für Deutschkunde 51 (1937) S. 225–239. – Wiederabdr. in: Schwarz (1968) S. 368–386.

Jaffe, Samuel Peter: Des Witwers Verlangen nach Rat. Ironie und Struktureinheit im Ackermann aus Böhmen. In: Daphnis 7 (1978) S. 1–53.

– Die Konzipierung der Ackermanndichtung im Prager Metropolitankapitel Codex O.LXX. In: Virtus und Fortuna. Zur deutschen Literatur zwischen 1400 und 1720. Fs. für Hans-Gert Roloff. Hrsg. von Joseph P. Strelka und Jörg Jungmayr. Bern / Frankfurt a. M. / New York 1983. S. 46–63.

– Prehumanistic Humanism in the ›Ackermann aus Böhmen‹. In: Storio della Storiographia 9 (1986), S. 16–45.

Kiening, Christian: Hiob, Seneca, Boethius. Traditionen dialogischer Schicksalsbewältigung im ›Ackermann aus Böhmen‹. In: Wolfram-Studien 13 (1994) S. 207–236.

– Aeneas Silvius, Egidius Gruber und der ›Ackermann‹. Rhetorik und Zeitgeschichte in der Münchener Sammelhandschrift Clm 27063. In: Zeitschrift für deutsches Altertum und deutsche Literatur 123 (1994) S. 130–172.

– Schwierige Modernität. Der ›Ackermann‹ des Johannes von Tepl und die Ambiguität historischen Wandels. Tübingen 1998.

– Schicksalsdichtung. Der böhmische ›Ackermann‹ in der Moderne. In: Germanoslavica 6 (11) (1999) S. 1–30.

Könneker, Barbara: Johannes von Tepl – Heinrich Wittenwiler – Oswald von Wolkenstein: Versuch einer Zusammenschau. In: Jahrbuch für Internationale Germanistik 8,3 (1980) S. 280–287.

Krogmann, Willy: Zur Textkritik des ›Ackermann‹. In: Zeitschrift für deutsche Philologie 69 (1944/45 [1946]) S. 35–96. – Wiederabdr. in: Schwarz (1968) S. 403–489.

– Untersuchungen zum ›Ackermann‹ I–VII. In: Zeitschrift für deutsche Philologie 72 (1953) S. 67–109. 73 (1954) S. 73–103. 74 (1955) S. 41–50. 75 (1956) S. 255–274. 76 (1957) S. 95–106.

– Neue Funde der Ackermannforschung. In: Deutsche Vierteljahrsschrift für Literaturwissenschaft und Geistesgeschichte 37 (1963) S. 254–263. – Wiederabdr. in: Schwarz (1968) S. 526–543.

Lenk, Werner: Grundzüge des Menschenbildes. In: Ingeborg Spriewald [u. a.]: Grundpositionen der deutschen Literatur im 16. Jahrhundert. Berlin/Weimar 1976. S. 107–249. [Bes. S. 114–148.]

Menge, Heinz H.: Die sogenannten ›Formelbücher‹ des ›Ackermann‹-Dichters Johannes. Ein Vorbericht. In: Litterae ignotae. Beiträge zur Textgeschichte des deutschen Mittelalters. Ges. von Ulrich Müller. Göppingen 1977. S. 45–55.

Mieder, Wolfgang: Streitgespräch und Sprichwort-Antithetik. Ein Beitrag zur ›Ackermann aus Böhmen‹- und Sprichwortforschung. In: Daphnis 2 (1973) S. 1–32.

Müller, Maria E.: Johannes von Tepl: ›Der Ackermann aus Böhmen‹. In: Winfried Frey / Walter Raitz / Dieter Seitz: Einführung in die deutsche Literatur des 12. bis 16. Jahrhunderts. Bd. 2: Patriziat und Landesherrschaft – 13.–15. Jahrhundert. Opladen 1982. S. 253–281.

Natt, Rosemarie: Der ›ackerman aus Böhmen‹ des Johannes von Tepl. Ein Beitrag zur Interpretation. Göppingen 1978.

Palmer, Nigel F.: *Antiquitus depingebatur*. The Roman Pictures of Death and Misfortune in the ›Ackermann aus Böhmen‹ and ›Tkadleček‹, and in the Writings of the English Classizing Friars. In: Deutsche Vierteljahrsschrift für Literaturwissenschaft und Geistesgeschichte 57 (1983) S. 171–239.

– Der Autor und seine Geliebte. Literarische Fiktion und Autobiographie im ›Ackermann aus Böhmen‹ des Johannes von Tepl. In: Autor und Autorschaft im Mittelalter. Hrsg. von Elizabeth Andersen [u. a.]. Tübingen 1998. S. 299–322.

Peters, Ursula: Literatur in der Stadt. Studien zu den sozialen Voraussetzungen und kulturellen Organisationsformen städtischer Literatur im 13. und 14. Jahrhundert. Tübingen 1983. S. 263–268.

Rehm, Walther: Zur Gestaltung des Todesgedankens bei Petrarca und Johann von Saaz. In: Deutsche Vierteljahrsschrift für Literaturwissenschaft und Geistesgeschichte 5 (1927) S. 431–455. – Wiederabdr. in: Schwarz (1968) S. 31–59.

– Der Todesgedanke in der deutschen Dichtung vom Mittelalter bis zur Romantik. Halle a. d. S. 1928. ²1967. [Bes. S. 115–137.]

Rosenfeld, Hellmut: Johannes de Šitboř, der Tkadleček und die beiden Ackermannfassungen von 1370 und 1401. In: Die Welt der Slaven N. F. 6 (1981) S. 102–124.

Roth, Jeremy Samuel: The Ackermann aus Böhmen and the Medieval ›Streitgespräch‹. Diss. Chicago (Ill.) 1981.

Schafferus, Ella: Der ›Ackermann aus Böhmen‹ und die Weltanschauung des Mittelalters. In: Zeitschrift für deutsches Altertum und deutsche Literatur 72 (1935) S. 209–239.

Schamschula, Walter: Der ›Ackermann aus Böhmen‹ und ›Tkadleček‹. Ihr Verständnis in neuer Sicht. In: Bohemia 23 (1982) S. 307–317.

Schirmer, Karl-Heinz: Zur Funktionalität der Streitgesprächsgattung im ›Ackermann‹. In: Fs. für Herbert Kolb. Hrsg. von Klaus Matzel und Hans-Gert Roloff. Bern [u. a.] 1989. S. 569–590.

Schirokauer, Arno: ›Der Ackermann aus Böhmen‹ und das Renaissanceproblem. In: Monatshefte 41 (1949) S. 213–217.

– Die Editionsgeschichte des Ackermann aus Böhmen. Ein Literaturbericht. In: Modern Philology 52 (1954/55) S. 145–158.

Schnyder, André: Die Trauerarbeit des Witwers. Vorläufiger Versuch, ein altbekanntes Werk neu zu sehen. In: Jahrbuch der Oswald von Wolkenstein Gesellschaft 4 (1986/87) S. 25–39.

Schröder, Werner: ›Der Ackermann aus Böhmen‹. Das Werk und sein Dichter. München 1985.

– Johannes von Saaz. In: Deutsche Dichter. Leben und Werk deutschsprachiger Autoren. Hrsg. von Gunter E. Grimm und Frank Rainer Max. Bd. 1: Mittelalter. Stuttgart 1989 [u. ö.]. S. 369–381.

Schulze, Horst: Zur Textkritik des ›Ackermanns aus Böhmen‹. Diss. Berlin (FU) 1963.

Schwarz, Ernst (Hrsg.): Der Ackermann aus Böhmen des Johannes von Tepl und seine Zeit. Darmstadt 1968. (Wege der Forschung. 143.)

Sichel, Giorgio: Der Ackermann aus Böhmen. Storia della critica. Florenz 1971.

Skála, Emil: Schriftsprache und Mundart im ›Ackermann aus Böhmen‹. In: Deutsch-tschechische Beziehungen im Bereich der Sprache und Kultur. Hrsg. von B[ohuslav] Havránek und R[udolf] Fischer. Leipzig 1965. (Abhandlungen der Leipziger Akademie der Wissenschaften. Phil.-hist. Klasse. 57. H. 2.) S. 63–72.

Stolt, Birgit: Wortkampf. Frühneuhochdeutsche Beispiele zur rhetorischen Praxis. Frankfurt a. M. 1974. S. 11–30. [›Rhetorik und Gefühl im Ackermann aus Böhmen‹.]

Swinburne, Hilda: Word-Order and Rhythm in the ›Ackermann aus Böhmen‹. In: Modern Language Review 48 (1953) S. 413–420.

– Echoes of the ›De consolatione philosophiae‹ in the ›Ackermann aus Böhmen‹. In: Modern Language Review 52 (1957) S. 88–91.

Trost, Pavel: Anmerkungen zum ›Ackermann aus Böhmen‹. In: Zeitschrift für deutsche Philologie 106 (1987) S. 112–114.

Tschirch, Fritz: Kapitelverzahnung und Kapitelrahmung durch das Wort im ›Ackermann aus Böhmen‹. In: Deutsche Vierteljahrsschrift für Literaturwissenschaft und Geistesgeschichte 33 (1959) S. 283–308. – Wiederabdr. in: Schwarz (1968) S. 490–525.

– Colores rhetorici im ›Ackermann aus Böhmen‹. In: Literatur und Sprache im europäischen Mittelalter. Fs. für Karl Langosch. Hrsg. von Alf Önnerfors. Darmstadt 1973. S. 364–397.

Ulbrich, Rolf: Der alttschechische ›Tkadleček‹ und die anderen ›Weber‹. Waldenserliteratur in Böhmen um 1400. Berlin 1980.

– ›Tkadleček‹ und ›Ackermann‹. Waldenserliteratur, Humanismus, Theologie und Politik um 1400 in Böhmen. Berlin 1985.

Vogt-Herrmann, Christa: Der Ackermann aus Böhmen und die jüngere Spruchdichtung. Diss. Hamburg 1962.

Vollmann, Benedikt Konrad: Prager Frühhumanismus? In: Wolfram-Studien 13 (1994) S. 58–66.

Walsh, M[aurice] O'C[onnell]: ›Der Ackermann aus Böhmen‹: Quellenfrage und Textgestaltung. In: Deutsche Literatur des späten Mittelalters. Hrsg. von Wolfgang Harms und L. Peter Johnson. Berlin 1975. S. 282–292.

Winston, Carol Anne: The ›Ackermann aus Böhmen‹ and the Book of Job. Ann Arbor 1985.

– Using the ›Tractatus‹ to Interpret the ›Ackermann‹. In: Daphnis 18 (1989) S. 369–390.

Wostry, Wilhelm: Saaz zur Zeit des Ackermanndichters. München 1951.

Zatočil, Leopold: Zwei Prager lateinische Texte als Quellen des ›Ackermann aus Böhmen‹. In: Brünner Beiträge zur Germanistik und Nordistik 1 (1977) S. 7–21.

– Lateinische Texte und Quellen zum Ackermann aus Böhmen. In: Brünner Beiträge zur Germanistik und Nordistik 3 (1982) S. 7–19.

Zatočil, Leopold: Quellenkundliches und Textkritisches zum Ackermann aus Böhmen. In: Brünner Beiträge zur Germanistik und Nordistik 6 (1988) S. 83–91.

Zechel, Artur: Beziehungen des Ackermann-Dichters zu Egerer Bürgern. In: Unser Egerland 39 (1935) S. 25–30.

Allgemeines zum Tod im Mittelalter

Ariès, Philippe: Geschichte des Todes. München 1980 [u. ö.]. – Frz. Orig.-Ausg. u. d. T.: L'homme devant la mort. Paris 1977.

Binski, Paul: Medieval Death. Ritual and Representation. Ithaca / New York 1996.

Borst, Arno [u. a.] (Hrsg.): Tod im Mittelalter. Konstanz 1993.

Haas, Alois: Todesbilder im Mittelalter. Fakten und Hinweise in der deutschen Literatur. Darmstadt 1989.

Kiening, Christian: Das andere Selbst. Figuren des Todes an der Schwelle zur Neuzeit. München 2003.

Schäfer, Daniel: Texte vom Tod. Zur Darstellung und Sinngebung des Todes im Spätmittelalter. Göppingen 1995.

Tenenti, Alberto: Il senso de la morte e l'amore della vita nel Rinascimento (Francia e Italia). Turin 1957. [Frz. Ausg.: 1983.]

Vovelle, Michel: La mort et l'Occident de 1300 à nos jours. Paris 1983.

Wenninger, Markus J. (Hrsg.): *du guoter tôt*. Sterben im Mittelalter – Ideal und Realität. Klagenfurt 1998.

Wilhelm-Schaffer, Irmgard: Gottes Beamter und Spielmann des Teufels. Der Tod in Spätmittelalter und Früher Neuzeit. Köln/ Weimar 1999.

Nachwort

Autor und Kontext

Über den Autor des kleinen Büchleins, das zu den bedeutendsten Prosadichtungen des späten Mittelalters und der frühen Neuzeit gehört, wissen wir mehr als über die meisten Autoren der älteren Literatur. In Urkunden erscheint er als Johannes de Tepla oder Johannes (Henslini) de Sitbor. Tepl in Nordböhmen mag der Ort der Geburt oder des beruflichen Anfangs gewesen sein, Šitboř in Westböhmen war der Wirkungsort des Vaters, der dort bis 1374 eine Pfarre besaß. Der Magistertitel, der Johannes in einigen Urkunden beigelegt wird, zeigt, daß er allemal ein Studium der Artes liberales (Trivium und Quadrivium) absolviert hat, vielleicht an der 1348 von Kaiser Karl IV. gegründeten Prager Universität, der ersten des deutschen Reiches. Ein Aufbaustudium der Jurisprudenz an einer anderen Universität könnte sich angeschlossen haben.

Hauptwirkungsstätte für Johannes von Tepl wurde die oberhalb der Eger gelegene Stadt Saaz. Dort ist er vielleicht schon vor 1378 als öffentlicher Notar (*notarius civitatis*) und seit den frühen achtziger Jahren auch als Leiter der örtlichen Lateinschule (*rector scolarium*) bezeugt. Beide Tätigkeiten hat er über mehrere Jahrzehnte ausgeübt. In dem seit 1383 von ihm geführten Saazer Stadtbuch finden sich Abschriften von lateinischen Originalbriefen und -urkunden, die teilweise eigenhändig sein mögen. In anderen Brief- und Urkundensammlungen, an deren Anlage er vielleicht beteiligt war, begegnen Texte, die gelegentlich Aspekte des Schulunterrichts zu erkennen geben.

Als kaiserlicher Notar, Rektor und Stadtschreiber gehörte Johannes zur städtischen Elite. Er nahm an den Gerichtssitzungen teil, war an der Abfassung aller Urkunden der Stadt

Saaz beteiligt und befugt, rechtskräftige Dokumente auch
außerhalb des Rathauses auszustellen. Im Jahre 1404 stiftete
er im Auftrag des Nikolaus Czychner und des Nikolaus
Hasenczagel für die Kirche St. Niklas in Eger, die 1401 einen neuen Hieronymus-Altar errichtet hatte, ein Offizium
zum Lobe des Heiligen. Die Eingangsminiatur der prächtig
illuminierten Handschrift (heute: Prag, Nationalmuseum)
zeigt den Stifter – allerdings kaum porträthaft – vor Hiero-
nymus und dem Löwen in unterwürfiger Pose.

Seine einflußreiche Position erlaubte es Johannes, den
wohl schon vom Vater herrührenden Wohlstand zu vermehren. Er erwarb Haus- und Grundbesitz, errichtete einen zur Verteidigung nutzbaren Turm und betätigte sich in
Kapitalgeschäften. Der Saazer Stadtrat gestand ihm das
Recht zu, mit Wein, Bier und Met zu handeln, König Wenzel verlieh ihm das Privileg, an Markttagen einen Silbergro-
schen als Zins von den Schlächtern zu erheben. Als er 1411
in die (mehrheitlich tschechische) Prager Neustadt wech-
selte, um dort den Posten des Stadtschreibers (Protonotar)
zu übernehmen, stellte ihm die Stadt Saaz ein überaus lo-
bendes Zeugnis aus.

Mit Prag dürfte Johannes von Tepl aus seiner Saazer Zeit
durch zahlreiche Kontakte verbunden gewesen sein. Verschiedentlich hatte er in Rechtsangelegenheiten mit der königlichen und der erzbischöflichen Kanzlei, aber auch mit
dem Stift Strahov zu tun. Zudem pflegte er den Austausch
mit dem Jugendfreund Petrus Rothers, einem als Geldgeber
der Stadt Saaz hervorgetretenen jüdischen Intellektuellen,
der ein Exemplar des ›Ackermann‹ als Geschenk erhielt. In
der noch jungen, großzügig gestalteten Prager Neustadt, die
Karl IV. im gleichen Jahr wie die Universität gegründet
hatte und in der Petrus Rothers seit 1399 ein Haus besaß,
kaufte er 1411 von der Nonne Anna ein Haus in der
Brenta-Gasse (heute: Spálená 23). Seine Verwaltungstätig-
keit begann er mit der Anlage eines neuen Bandes (*liber
contractuum*) der Stadtbücher. Im Frühjahr 1413 erkrankte

er jedoch und erhielt die Möglichkeit, einen Vertreter zu stellen. Für das Jahr 1415 verzeichnen die Quellen bereits Transaktionen, die der Regelung der Hinterlassenschaft dienen: Die Witwe Clara verkauft zu einem ansehnlichen Preis das Prager Haus, der Sohn Georg bestätigt den Empfang des ihm zustehenden väterlichen Erbteils.

Die hohe Zahl an Informationen, die wir über Johannes von Tepl besitzen, hängt wesentlich mit seiner beruflichen Stellung zusammen. Er fungierte als höherer städtischer Verwaltungsbeamter und besetzte eine Schnittstelle zwischen verschiedenen klerikalen und laikalen Institutionen der Region. Die Texte, mit denen er als Notar Umgang hatte, gehörten dem Bereich der pragmatischen Kanzleischriftlichkeit an, diejenigen, mit denen er als Lehrer und Schulleiter in Berührung kam, dem Bereich lateinischer Grammatik und Dialektik, aber auch Philosophie und Theologie. Das Umfeld und die Briefmustersammlungen legen nahe, daß ihm das Tschechische ebenso geläufig war wie das Deutsche und das Lateinische. Johannes war belesen und besaß selbst Handschriften. Dichten jedoch war für ihn kaum mehr als eine Nebenbeschäftigung. Über den ›Ackermann‹ hinaus scheint er keine weiteren Werke in der Volkssprache verfaßt zu haben. Für das lateinische Hieronymus-Offizium betätigte er sich vielleicht als Kompilator; die darin enthaltene Prosalegende des Heiligen ergänzte er nach jeder Lektion um eine *Tu autem*-Invokation. Über die Texte, die er Petrus Rothers zusammen mit dem ›Ackermann‹ übersandte (»lateinische Halme von meinem unfruchtbaren Acker«), ist nichts Näheres bekannt.

Johannes von Tepl steht mit seiner Verbindung von akademischer Bildung, administrativer Professionalität und literarischem Interesse um 1400 nicht allein. Der etwa gleichaltrige Franzose Eustache Deschamps, der 1397 Prag besuchte, hatte nach dem Trivium Recht studiert (ohne Abschluß), war als diplomatischer Botschafter und ›politischer Korrespondent‹ in Europa unterwegs und schrieb neben

zahlreichen Balladen und Liedern die erste französische
Poetik (›Art de dictier‹, 1393 in Prosa). Der aus dem Tog-
genburgischen stammende Heinrich Wittenwiler war nach
einem – vielleicht in Bologna absolvierten – Rechtsstudium
Hofadvokat und Hofmeister der Konstanzer Bischöfe und
verfaßte eventuell um 1408/10 ein großes satirisch-allegori-
sches Reimpaarepos (›Der Ring‹). Charakteristisch für alle
drei Autoren ist der kenntnisreiche Umgang mit literarischen Traditionen sowie ein neuer Sinn für die Inszenierung
von Alltagsweltlichem.

Weitgehend singulär ist allerdings der kulturelle Kontext,
in dem sich das Wirken des Johannes von Tepl situiert. Der
Autor des ›Ackermann‹ hatte teil an einer mehrsprachigen
Kultur, die jahrzehntelang eine produktive Balance und
eine Stimmung intellektuellen und politischen Aufbruchs
erlebte. Unter dem Luxemburger Karl IV. (1316–78, Kaiser
seit 1355) erfuhr das Königreich Böhmen eine systematische
Aufwertung. Prag, das, erweitert und umgestaltet, um 1380
etwa 40 000 Einwohner zählte, wurde zu einer funktional
organisierten europäischen Metropole. Kanzlei und Verwal-
tung gewannen an Bedeutung, Kunst und Wissenschaften
dienten der Repräsentation. Peter Parler stand seit 1356 der
Prager Dombauhütte vor, Heinrich von Mügeln hielt sich
vermutlich einige Zeit am Hof auf: Sein allegorisches Ge-
dicht ›Der meide kranz‹ (nach 1355), das den Sieg der Theologie über die übrigen Künste vorführt, huldigt dem (in der
Rahmenhandlung auftretenden) Kaiser, dessen Glorifizie-
rung auch in der Burg Karlstein und in der Prager Kathe-
drale sichtbar wird.

Gesucht wurden in dieser Zeit Verbindungen nach Italien, vor allem zu Francesco Petrarca. Karl traf den italienischen Humanisten in Mantua und Prag. Karls Kanzler
Johann von Neumarkt korrespondierte mit ihm und bat um
die Übersendung von Büchern. Klangvolle Namen aus
der Antike fallen in den Briefen, Handschriften lateinischer

Klassiker finden neues Interesse. Doch das, was zu Beginn des 20. Jahrhunderts Konrad Burdach und sein Kreis als ›böhmischen Frühhumanismus‹ erweisen wollten, ist mit der sich in Italien formierenden Bildungsbewegung nicht zu vergleichen. Der Stil der Briefe blieb schwerfällig, die Kenntnis klassischer Autoren beschränkt. Erfolgreichster Import aus Italien wurde bezeichnenderweise der Hieronymuskult, den Johann von Neumarkt von seiner zweiten Italienreise mitbrachte und durch seine Übersetzung der gefühlvoll-erbaulichen, das Hieronymusleben zum geistlichen Muster erhebenden Briefe in Böhmen heimisch machte. Auch der eine Generation jüngere Johannes von Tepl war, wie gesehen, diesem Kult verpflichtet.

Der ›böhmische Frühhumanismus‹ entwickelte kein systematisches Bildungsprogramm und erfaßte kaum größere Kreise. Seine räumliche und zeitliche Ausstrahlung stieß schnell an Grenzen. Erst gegen Ende der Lebenszeit des Johannes von Tepl vermehrte sich die Zahl der Studenten, die über die Alpen nach Süden zogen und von dort Klassiker- und Humanistenhandschriften mitbrachten. Doch zu diesem Zeitpunkt war Prag schon keine internationale Hochburg der Intellektuellen mehr. Eine verheerende Pestwelle hatte 1380 die wirtschaftliche Prosperität gestoppt. Karls Sohn Wenzel IV. (1361–1419) war zweimal gefangengenommen und 1400 als römischer König abgesetzt worden. Die politische Ordnung zerfiel. Religionsstreitigkeiten, die schließlich in die hussitische Bewegung mündeten, sorgten an der Prager Universität für Unruhe. Deutsche Studenten und Magister verließen die Stadt, als durch das Kuttenberger Dekret von 1409 die Universität den Böhmen vorbehalten blieb. Damit fand auch das labile Gleichgewicht der Kulturen ein Ende, blieben die bildungspolitischen Ansätze aus der Ära Karls IV. ohne Fortsetzung. Sowenig das sprachlich normierend wirkende böhmisch-schlesische Kanzleiwesen die Ausbildung einer einheitlichen deutschen

Schriftsprache allein befördern konnte, sowenig konnte das
kaum mehr als individuelle Interesse an neuer Rhetorik und
Stilistik den Weg für ein modernes humanistisches Bildungsprogramm öffnen.

Vor diesem spannungsvollen und vielschichtigen Hintergrund ist das Werk des Johannes von Tepl zu sehen. Verpflichtet ist der Saazer Notar der von Johann von Neumarkt
betriebenen Kanzleireform; Johanns bekannte Sammlung
von Briefen und Urkunden (›Summa cancellariae‹) dürfte er
gekannt, dessen Vorliebe für den rhetorischen Cursus, für
bestimmte Typen des rhythmischen Satzschlusses, geteilt
haben. Auch mit anderen literarischen Erzeugnissen aus
dem Umkreis Johanns von Neumarkt mag er vertraut gewesen sein. So mit dem lateinischen Streitgespräch ›Cogor
adversum te‹, das ebenfalls dem schwerfälligen Nominalstil
folgt und im frühen 15. Jahrhundert in der königlichen
Kanzlei in Prag mehrfach abgeschrieben wurde: Mensch
und Welt demonstrieren in ihm das Spannungsfeld von
Weltbejahung und Weltverneinung; Homo, hier der Über-
legene, behält das letzte Wort.

In höherem Maße hat Johannes von Tepl sich an den
volkssprachigen Gebeten und Prosaübersetzungen Johanns
von Neumarkt geschult. Das stark rhetorisierte, teilweise
gebetshafte ›Buch der Liebkosung‹, eine Übersetzung der
pseudo-augustinischen ›Soliloquiae animae ad deum‹ (entstanden im 13. Jh.), lieferte prägnante Formulierungen für
das Schlußgebet im ›Ackermann‹. Daneben bot die ge-
blümte, an Genitivkonstruktionen und Metaphern reiche
Sprache Heinrichs von Mügeln und der Spruchdichtung
eine Inspirationsquelle für den – nicht selten mariologisch
getönten – Preis der verstorbenen Frau.

Johannes von Tepl war augenscheinlich fasziniert von den
Möglichkeiten affektiv bewegender Rhetorik. In der gleichen Sammlung von Briefen, die auch das an Petrus Rothers
gerichtete Begleitschreiben zum ›Ackermann‹ enthält, findet
sich eine kurze ›Empfehlung der Wissenschaft der Rede-

kunst‹ (›Recommendacio rhetorice sciencie‹), die der Saazer
Schulleiter für den Unterricht konzipiert haben könnte. Ge-
priesen wird hier Rhetorik als »Mutter der Beredsamkeit,
Herrin des Gemüts und des Herzens«, durch die »sämtliche
Wohltaten des ganzen Erdkreises machtvoll und heilbrin-
gend gestärkt« würden. Anders als in rhetorischen Traktaten der Zeit geht es weniger um die spezifischen Formen
des Wort- und Satzschmucks als um die globalen Wirkungs-
möglichkeiten rhetorisch geformter Rede – unter ihnen
auch die Möglichkeit, »Traurige zu trösten« (*mesti conso-
lantur*).

Auch im Begleitschreiben an den jüdischen Freund spielt
dieser Aspekt eine Rolle. Es fällt der Begriff *consolari*, doch
das damit Angedeutete wird nicht konkretisiert. Nicht das
Thema von Trauer und Trost steht im Vordergrund, sondern die souveräne Handhabung rhetorischer Kategorien.
Johannes erwähnt Formen der Stoffbearbeitung und der
Satzkonstruktion, außerdem Figuren der Rede. Doch er
zählt sie nicht in nüchterner Systematik auf, stilisiert sie
vielmehr zu scheinbar selbständigen Wesenheiten, die Leser
oder Hörer herausfordern, sich an die Entdeckung sprach-
licher Mannigfaltigkeit zu machen. Damit gehört das Begleitschreiben zwar zu den insgesamt eher seltenen poeto-
logischen Selbstzeugnissen, in denen sich ein mittelalterlicher
Autor zu einem volkssprachigen Werk äußert. Doch, selbst
als kunstvoller Musterbrief entworfen, bietet es nicht ohne
weiteres einen Schlüssel für dieses Werk. Eine mögliche bio-
graphische Dimension ist ausgespart, die argumentativ-in-
haltliche mit dem Hinweis auf das »unausweichliche
Geschick des Todes« nur kurz gestreift, die rhetorische in
ironischer Verkürzung dargeboten. Faßbar bleibt, daß der
Autor sein Werk als formales Kunstwerk, als sprachliches
Experiment, als Annäherung der deutschen an die weiter-
entwickelte lateinische Prosa einschätzt. Auch im ›Ackermann‹ läßt er durch den Tod gleich eingangs die Bedeutung
prosaischer Gestaltung festhalten: *Dein clage ist an döne*

vnd an reyme (2,13 f.). So richtig allerdings angesichts einer bis dahin, von Übersetzungen abgesehen, noch spärlichen deutschen Prosaliteratur die Betonung des Formaspekts scheint – die Sinndimensionen des ›Ackermann‹ sind damit nur ausschnittweise eingefangen.

Text und Tradition

Daß im Begleitschreiben kein konkreter Trauerfall zur Sprache kommt, hat aller Wahrscheinlichkeit nach seinen Grund in der Sache. Urkundlich belegt als Frau des Johannes von Tepl ist nicht Margaretha, sondern Clara. Sie aber überlebte ihren Mann zusammen mit mehreren ehelichen Kindern, die 1415 bereits erwachsen waren. Bei Margaretha könnte es sich also entweder um eine nicht ins Licht der Geschichte getretene Jugendgeliebte handeln oder um eine fingierte ›Perle‹ (*margarita*), eine Zierde der Frauen ähnlich wie Petrarcas Laura. In jedem Fall führt die Vorstellung, Johannes von Tepl habe eine Trauererfahrung unmittelbar literarisch bewältigt, in die Irre. Der ›Ackermann‹ ist keine Erlebnisdichtung, sondern ein gelehrtes Werk, das auf zahlreichen lateinischen und volkssprachigen Quellen basiert, zugleich aber das übernommene Material in ungewöhnlicher Weise dialogisiert und dynamisiert.

Als allgemeine Modelle für eine dialogische Schicksalsbewältigung boten sich vor allem drei Texte an. Die im frühen Mittelalter nach originalen Seneca-Sätzen zusammengestellte kleine Schrift ›Ad Gallionem fratrem de remediis fortuitorum‹ lieferte im Gegenüber von knapp konstatierten Unglücksfällen (darunter auch der Verlust der Ehefrau) und stoisch-allgemeinen Trostsequenzen Bausteine, die sich für die Argumentation des Todes verwenden ließen (Petrarcas gewaltiger Erweiterung und Umformung in ›De remediis utriusque fortunae‹ scheint Johannes von Tepl noch nicht begegnet zu sein). Das biblische Buch Hiob vermittelte, wenn man es nicht einfach als Demonstration vorbildhafter Geduld verstand, an welche Grenzen innerweltlicher Trost stößt und welche Bedeutung dem direkten Gottesbezug zukommt. Die ›Consolatio philosophiae‹ des Boethius führte vor, wie ein Verzweifelter Trost in Kosmologie und Ontologie findet; Johannes von Tepl las die ›Consolatio‹, die auch für den Dialog ›Cogor adversum te‹ eine wichtige Rolle spielt, nachweislich gemeinsam mit seinen Saazer Schülern und bezog sich explizit auf sie im ›Ackermann‹.

Dort allerdings ist es ein besonderer Gesprächspartner, an dem sich das verzweifelte Ich abarbeitet: der Tod. Er begegnet als personifizierte Figur bereits in mittellateinischen Streitgesprächen, die Johannes von Tepl wohl kannte. Der vielgelesene, vielleicht im 12. Jahrhundert entstandene ›Dialogus mortis cum homine‹ (18 Vagantenstrophen) demonstriert in gleichverteilter Wechselrede einerseits Wesen und Macht des Todes, andererseits Erschrecken und verzweifelte Hoffnung des Menschen. Die um 1400 im Prager Raum verbreitete ›Visio Polycarpi‹ (Prosa) bietet heilsgeschichtliche Belehrungen eines gelegentlich anmaßend auftretenden Todes und eine abschließende *conversio* (der Magister Polycarp tritt in den Franziskanerorden ein). Der aus dem 14. Jahrhundert stammende ›Tractatus de crudelitate mortis‹ (26 Strophen) zeigt in seinem Hauptteil eine vehemente Auflehnung der Menschheit gegen den Tod, die es im Gegenzug ermöglicht, dessen verschiedene Funktionen zu bestimmen. Gerade dieser *Tractatus* besitzt besondere Bedeutung für den ›Ackermann‹, ist er doch in einer Sammelhandschrift überliefert, die sich im Besitz Johanns von Tepl befand (heute: Prag, Bibliothek des Metropolitankapitels). Verschiedene Hinweiszeichen mögen von seiner Hand stammen. Andere Stücke des gleichen Kodex – aus dem Gebiet der Tugendlehre (Ps.-Seneca), Weltverachtung (Ps.-Bernhard von Clairvaux) und Todesmeditation (›Vado mori‹) – machen Denktraditionen sichtbar, mit denen er vertraut war.

Um direktes Quellenmaterial für die deutsche Prosa handelt es sich allerdings nicht. Selbst der ›Tractatus‹ berührt sich nur an einigen Stellen mit dem ›Ackermann‹. Er bleibt, auch wenn er der Infragestellung des Todes momenthaft eine ungekannte Heftigkeit verleiht, dem Schematismus des Streitgesprächmodells verhaftet und bietet aufs Ganze gesehen eher eine kontrastive Folie als ein präzises Muster für den deutschen Text. An ihm läßt sich erkennen, wie konsequent im ›Ackermann‹ die Anleihen bei der Tradition der argumentativen Strategie der beiden Gesprächspartner angepaßt, damit aber auch ihrer ursprünglichen Eindeutigkeit entkleidet sind. Den Gedanken der Naturgesetzlichkeit des Todes übernimmt Johannes von Seneca und der stoischen Philosophie, doch macht er ihn zu einem Argument des Todes, das nicht durchschlägt. Den Aspekt der Vergänglichkeit und Nichtigkeit des menschlichen Daseins bezieht er aus dem Standardwerk zum Elend irdischer Existenz, der in ganz Europa verbreiteten, rhetorisch brillanten Schrift ›De miseria humane conditionis‹ Lothars von Segni (als Papst: Innozenz III.), doch verengt er die radikale Negativität der Vorlage auf das Problem der Rastlosigkeit des Menschen.

Eben dieses Verfahren, das Aussagen objektiven in solche subjektiven Charakters verwandelt, begründet die innere Dynamik der ›Ackermann‹-Prosa und ihren Abstand von den im einzelnen benutzten Quellen. Schon ein flüchtiger Blick auf den Ablauf des Textes zeigt seine kompositorische Geschlossenheit: Wütende Angriffe auf den Tod von seiten eines Menschen, der die in ›De remediis‹ noch kaum hörbare Stimme des Trostbedürftigen zu mächtiger Lautstärke bringt, werden abgelöst von Versuchen der Verständigung, die ihrerseits wieder in ein schroffes Gegeneinander der Positionen münden, das im göttlichen Urteil aufgehoben wird; erst mit dem abschließenden Gebet fügt sich der Trauernde ins Unabänderliche.

Ein genauerer Blick macht sichtbar, wie subtil das argumentatorische Profil der Gesprächspartner entwickelt ist.

Der Kläger scheint mit seinem anfänglichen Gestus einen
Mord- und Raubprozeß einzuleiten, doch seine Anklage ist
ungeordnet und muß erst in den folgenden Reden um die
entscheidenden Fakten ergänzt werden. Er bemüht Juristi-
sches, doch er bemüht es nicht einfach zur Fundierung eines
rationalen Argumentationsablaufs, sondern zur Beschwö-
rung jener Instanz, die allein in der Lage wäre, den als Instanz auftretenden Tod auszuschalten: Gott. Er ist der ei-
gentliche Ansprechpartner des Klägers, doch er ist nicht
derjenige, mit dem dieser sich auseinanderzusetzen hat.

Zu begreifen gilt es den Tod, eine Figur, die einerseits das
Ereignis repräsentiert, das den Lebenden von der geliebten
Toten trennt, und andererseits die Verlustursache ›verkör-
pert‹, ohne einen Körper zu haben. Ein Begreifen dieses pa-
radoxen Phänomens scheint dort in Gang zu kommen, wo
der Ackermann sich auf die Rationalisierungsversuche des
Gegners einläßt. In der Mitte des Dialogs wendet er sich
zum letzten Mal an Gott mit der Bitte, den Gegner zu vernichten, und bringt im gleichen Atemzug den Tod dazu,
sich selbst zu definieren. In der zweiten Hälfte drängt er ihn
sogar in die Rolle des Ratgebers und Trösters. Als gemein-
same Argumentationsbasis dient die Moralphilosophie.
Doch in ihr finden die Gesprächspartner unterschiedliche
Modelle für den Umgang mit der Verlustsituation. Gegen
den rigorosen Stoizismus, mit dem der Tod das Konzept
der Kontrolle und Eindämmung der Affekte vertritt, begründet der Ackermann sein Recht auf Trauer und die
Funktion von Erinnerung als Spezifikum humaner Existenz. In der Memoria kann er die verlorene Geliebte lebendig bewahrt sehen: *Ist sie mir leiplichen tot, in meyner gedechtnüß lept sie mir doch ymmer* (23,27 f.).

Damit ist ein entscheidender Punkt erreicht. Die Verstorbene ist im weiteren – bis zum Schlußurteil – nicht mehr
Gegenstand der Rede. Das Gespräch wendet sich zum allgemeinen: zum Gegensatz zwischen Elend und Erhabenheit
des Menschen, zur Polarität negativer und positiver Ein-

schätzungen der Frau, zur Frage nach der rechten Daseins-
form. Der Kläger begreift die Ehe als Idealzustand, als Paradies auf Erden, die Frauen als Vorbilder, als Garanten für
den Fortbestand der Welt (Kap. 29) – auch dies eine per-
spektivisch gebundene Verallgemeinerung, erwachsen aus
dem spezifischen Fall, geprägt mehr von emphatischer Rhetorik als von genauer Argumentation, gesetzt gegen die in
alter theologischer Tradition stehenden misogynen Aussagen des Todes.

Mit dem Gedanken der Neuverheiratung und generell
der Zukunftgestaltung zeichnet sich im Dialog ein Distanz-
und gleichzeitiger Horizontgewinn ab. Doch schwenkt der
Ackermann deshalb nicht auf die Position des Todes ein.
Mit seiner emphatischen Huldigung des Menschen im
25. Kapitel wendet er sich explizit gegen den paradiesischen
Ursprung des Todes und implizit wohl gegen die Sterblichkeit schlechthin. Er versteht den gottähnlichen Menschen
als Krone der Schöpfung, als Körperlichkeit und Geistigkeit
einzigartig vereinendes Wesen – im Blick jedoch allein auf
den Zustand vor dem Sündenfall, nicht auf das Ganze
christlicher Heilsgeschichte. In der letzten Ackermann-
Rede (31. Kapitel) verbindet sich dann sogar die Phantasie
eines für die Ewigkeit in der Hölle schmorenden Todes mit
der Vorstellung einer unendlichen Welt, in der auch der
Mensch, als eines der in den Prozeß von Werden und Vergehen eingespannten Lebewesen, an der beständigen Erneuerung partizipiert.

Unverkennbar schießt der Ackermann damit übers Ziel
hinaus. Doch wird seine Emphase plausibel, weil sie auf
eine Position reagiert, die ihrerseits subjektive Züge trägt.
Der Tod spricht sich zwar selbst an zentraler Stelle alle Sub-
stantialität ab und weist darauf hin, daß er *nichts* sei und
doch etwas (16,13 f.). Doch eben dieses Etwas-Sein zeigt
sich im Dialog nicht nur als Moment des Übergangs zwischen Sein und Nicht-Sein, sondern als argumentatorische
Macht. Die Figur, die eine nur bildliche, nicht aber szeni-

sche Konkretheit besitzt, gewinnt Präsenz in der Sprache, gewinnt ein paradoxes Profil dadurch, daß sie sich gleichzeitig aufzuheben und zu begründen hat. Der Tod wird zu einem überheblichen Lehrer, der mit sentenzenhaften und sprichwörtlichen Wendungen, oft ironisch, das Aufbegehren des Ackermanns ad absurdum zu führen versucht, dabei aber auch den Rahmen christlicher *meditatio mortis* überschreitet und dem menschlichen Widerstand Nahrung liefert.

Beide Positionen, so schroff sie im einzelnen oft gegeneinanderstehen, gehören im ganzen untrennbar zusammen. Sie sind Teil einer dialektischen Inszenierung, in der die Gesprächspartner sowohl aneinander vorbeireden wie aufeinander Bezug nehmen, in der die Argumente sich in Bewegung befinden. Der Kläger begreift zwar den Tod von vornherein als Teil der Schöpfung und damit Gott unterworfen, kann ihm aber dennoch im 25. Kapitel seine Herkunft aus dem Paradies bestreiten und im 31. Kapitel eine schlechte Ewigkeit in der Hölle wünschen. Er bringt mit seiner Rede von der Unwiederbringlichkeit des Verlorenen schon zu Beginn eine Anerkennung des Faktums zum Ausdruck, kann aber gleichwohl im weiteren ein *widerbringen* einfordern. Der Tod wiederum bekennt zwar bereits in seiner ersten Rede, Leid über die Menschen zu bringen, wird aber später dessenungeachtet in stoischer Argumentation den Schmerz zu relativieren suchen. Er gesteht dem anderen zunächst zu, daß sein Verhalten auf ernste Not deute, und wird doch eben dieses später als unberechtigt hinzustellen versuchen.

Gedacht wird der Tod im ›Ackermann‹ nicht als Gewußtes in der Fixierung der Begriffe, sondern als Erfahrenes in der Fluktuation der Argumente. Er fungiert als Denkfigur paradoxerweise gerade aufgrund der dynamischen Eigenständigkeit, die ihm redend zugebilligt wird. Er existiert im Wort, aber nur im Wort, und wird in ihm zu jenem Anderen, der es erlaubt, die innere Spannung der Verlusterfah-

rung – die Spannung zwischen dem Festhalten am Verlorenen und der Notwendigkeit des Sich-Abfindens – auszu-
loten.

Voraussetzung dafür ist wiederum die Vermeidung von
Argumenten, die den Trauerschmerz im Blick auf die
christliche Heilsgeschichte aufheben würden. Zwar operiert
Johannes von Tepl durchgängig mit der Präsenz Gottes, an
kaum einer Stelle aber propagiert er den – für die christliche
consolatio zentralen – Gedanken einer Dichotomie von
Diesseits und Jenseits. So wie explizite Bezüge auf Inkarnation und Passion Christi im Dialog fehlen, so fehlt auch die
traditionelle Begründung des Todes als Strafe einer gefallenen und sündigen Menschheit. Der Tod im ›Ackermann‹
rechtfertigt sich primär im stoischen Sinne als *lex humana*
– und erweist sich eben damit als geeigneter Gegenpart
eines Subjekts, das sich wehrt gegen das scheinbar Unabänderliche und Anspruch erhebt auf ein dauerhaftes innerweltliches Glück und eine emphatisch verteidigte Daseins-
fülle.

Korrigiert wird im 33. Kapitel weniger dieser Anspruch
an und für sich als seine Verselbständigung gegenüber dem
ihn ermöglichenden metaphysischen Horizont. Gottes Tadel gilt dem Versuch des Ackermanns, davon abzusehen,
daß das dem Menschen auf Erden Zugeteilte begrenzte
Dauer habe, nicht aber dem Versuch, den Menschen als Wesen besonderer Dignität und Freiheit zu begreifen. Dementsprechend erfährt auch im Schlußurteil die weltabwer-
tende Haltung des Todes keine Unterstützung durch genuin
christliche Argumente. Der Jahreszeitenvergleich hat boe-
thianischen Charakter und steht immerhin tendenziell dem
Gedanken des Wechselspiels von Werden und Vergehen
nahe, der auch in den Ackermann-Reden anklang. Das göttliche Urteil ist nicht so neutral, wie es scheinen mag. Es
schlichtet aus autoritativer Warte den vorangegangenen
Streit, hebt zugleich aber den Streitgegner Tod im allgemeinen Gesetz der Sterblichkeit auf. Damit ermöglicht es im

kompositorischen Ganzen den Übergang zwischen dem Dialog, in dem der Tod in Frage gestellt, und dem Gebet, in dem er als Figur zurückgelassen ist.

Mit dem hymnischen Gebet kommt der Erfahrungsprozeß, den der Text entwirft, an sein Ziel. Sah man im Dialog einen Klagenden, der es zunächst vermied, den Verlust zu benennen, der sodann die Verlorene metaphorisch vergegenwärtigte und den Verlust sukzessive generalisierte, der schließlich die Trauer in liebevoller Erinnerung aufhob und sich einer möglichen Zukunft zuwandte, so sieht man nun einen Betenden, der den zuvor negierten Tod als Prinzip menschlicher Existenz akzeptiert. In Metaphern des Lichthaften und Strömenden denkt er sich auf das absolute Eine hin und sieht sich zugleich von diesem her nobiliert. In Ontologie und Kosmologie findet er, wie Boethius, Trost und eine Basis, sich abschließend mit der Bitte um das Seelenheil der Verstorbenen an Christus, den Erlöser, zu wenden. Wurde anfangs die ganze Schöpfung zum Widerstand gegen den Tod aufgerufen, so werden nun alle Kreaturen dazu aufgerufen, in das Amen einzustimmen.

Das Gebet richtet sich nicht an den textimmanent auftretenden, sondern an den über allem seienden Gott, an den absoluten Gesprächspartner, der den zugleich vertrauten und unvertrauten Gesprächspartner Tod ersetzt. Im Gebet wird, anders als im Dialog, ein übermenschliches Du greifbar, das die Abwesenheit des menschlichen Du kompensiert. In ihm wird der Mensch nicht zu einem Nichts angesichts des übermächtigen Schöpfers reduziert, sondern von diesem her in seiner menschlichen Würde bestätigt, wird mit der Einsicht in die Kreatürlichkeit auch die Annahme der Sterblichkeit eröffnet, ohne daß damit das Recht auf Trauer oder die Vorstellung menschlicher Würde und kosmischer Erneuerung zurückgenommen wären. Das Subjekt, das sich am Beginn des Textes metaphorisch als Schreiber definierte (3,1 f.), schreibt sich schließlich durch das Akrostichon selbst in die Gottesinvokationen ein. Gleichzeitig vermag es im rituellen Sprachgestus den Verlust, von dem her die Bewegung des Textes ihren Anfang nahm, zu bewahren: als schmerzvollen, doch vom Sinn des Daseins umschlossenen.

Was der ›Ackermann‹ im ganzen erprobt, ließe sich mit einem Begriff des russischen Literaturtheoretikers Michail Bachtin als ›innere Dialogizität des Wortes‹ bezeichnen. Dialogisch ist der Text im Hinblick auf die Traditionen, die anzitiert und aufgegriffen, verbunden und verwandelt werden. Und dialogisch ist er im Hinblick auf die Divergenzen und Konvergenzen, die die einzelnen Sprecher (Kläger, Tod, Gott, Betender) sowohl unterscheiden wie verbinden. Intertextuell oszilliert die Prosa zwischen verschiedenen moralphilosophischen und -theologischen Diskursen, intratextuell aber zwischen Andersheit und Nicht-Andersheit im Verhältnis der Figuren, zwischen Anerkennung des erfahrenen Verlustes und Nicht-Anerkennung der imaginierten Verlustursache seitens des menschlichen Ich. Eben dieses kompositorisch gesetzte Oszillieren eröffnet den Möglichkeitsraum eines textuellen Subjekts, das die einzelnen Positionen übergreift und zugleich sich in diesen ›subjektiviert‹.

Der ›Ackermann‹ entfernt sich damit von dem starren Schematismus und der zielorientierten Einseitigkeit, die in vielen Streit- und Lehrgesprächen der Zeit dominieren. Doch er tut dies nicht, indem er sich – wie in späteren humanistischen Dialogen – den Formen mündlicher Rede annähert. Allein die innere Verknüpfung der Redeblöcke macht aus der Gesprächssituation mehr als eine künstlich konstruierte Opposition, und sie vermag dies, weil die Rhetorik des Textes sich nicht im formalen Spiel der Redefiguren erschöpft, sondern Mittel expressiven Bewegens wird.

Vergleichbares findet man in der Zeit um und nach 1400 weniger im deutschen als im europäischen Kontext. Die Würde und Freiheit des Menschen, das Recht auf Trauer und der Anspruch auf innerweltliches Glück, die anthropologische Funktion von Rhetorik – all dies sind Themen, die in Briefen, Dialogen und Traktaten des italienischen Renaissancehumanismus zur Entfaltung kommen. Auch die Hochschätzung von Frau und Ehe besitzt dort ein Pendant. Aus Italien bringt Albrecht von Eyb das Material mit für sein ›Ehebüchlein‹ (Nürnberg 1472), in dem er die Ehe ähnlich wie Johannes von Tepl nicht mehr einfach als Mittel begreift, Unzucht zu vermeiden und Nachkommen hervorzubringen, sondern als Chance, innerweltlich dem Mängelwesen Mensch die beste aller Lebensformen zu ermöglichen.

Wie in den Schriften der Renaissancehumanisten geht es auch im ›Ackermann‹ weniger darum, ein grundlegend neues Weltbild zu etablieren, als darum, die Zwänge einer theologisch dominierten Anthropologie abzuschütteln oder zumindest auszublenden. In gedanklichen Laborversuchen wird der Mensch auf begrenztem Terrain seiner Natur überlassen, wird ein Freiraum erprobt, der nicht von Dauer ist, aber eine Erweiterung von Horizonten und Vermehrung von Denkmöglichkeiten mit sich bringt, denen zumindest auf längere Sicht die Zukunft gehören wird. Der ›Ackermann‹ ist nicht schon Dokument einer Epochenschwelle. Doch, spannungsreich und vielstimmig, besitzt er eine Modernität, die quer steht zu einer (von der Forschung lange zu schematisch gedachten) Differenz zwischen Scholastik und Humanismus, Mittelalter und Neuzeit. Eine Modernität, die, ob als solche wahrgenommen oder nicht, die Faszination mitbegründet haben dürfte, die das schmale Büchlein auf Generationen ausübte.

Überlieferung und Rezeption

Mit bis heute erhaltenen 16 Handschriften und 15 Druckausgaben gehörte der ›Ackermann‹ im 15. und 16. Jahrhundert zu den beliebtesten nicht-pragmatischen Texten des deutschen Sprachraums. Seine Verbreitung setzte ein spätestens mit dem von Johannes von Tepl – vielleicht um 1404

– an Petrus Rothers nach Prag geschickten Exemplar und
zog vermutlich schnell weitere Kreise. Nicht im böhmischen Raum, wo im Zuge der hussitischen Revolution zahlreiche Handschriften in den Klosterbibliotheken und der
Prager Universität den Flammen zum Opfer fielen und die
Bedingungen für die Weitergabe eines deutschsprachigen
Stilkunstwerks ungünstig waren. Wohl aber im oberdeutschen Raum. Schon Ende der vierziger Jahre konnte man in
Augsburg ›Ackermann‹-Handschriften aus der elsässischen
Schreibwerkstatt des Diebold Louber erwerben. Aus der
gleichen Zeit ist die erste Handschrift, im fränkischen Raum
geschrieben, bewahrt (sie liegt dieser Ausgabe zugrunde).
Anfang der sechziger Jahre wurde der Text als eines der ersten mit Holzschnitten versehenen deutschsprachigen
Werke in Bamberg gedruckt und wirkte von dort aus auf
den gesamten bairisch-österreichischen Raum. Anfang der
siebziger Jahre erschien er in Basel und Straßburg im Druck
und erlebte bis zur Mitte des 16. Jahrhunderts zahlreiche
Ausgaben. Aufgelegt nicht selten zu Zeiten regionaler Pest-
wellen, fiel ihm offensichtlich die Aufgabe literarischer Le-
bensbewältigung zu.

Doch fand der ›Ackermann‹ nicht nur anteilnehmende
Leser und Abschreiber, er reizte auch andere Autoren zur
Ausbeutung, Ausgestaltung und Übersetzung. Vermutlich
noch zu Lebzeiten des Johannes von Tepl, gegen 1408, eher
vor als nach dem Auszug der deutschen Studenten aus Prag,
verwandelte ein sonst unbekannter Luduik den deutschen
Dialog zwischen Mensch und Tod in ein tschechisches
Gespräch zwischen einem verlassenen Liebhaber und dem
Unglück. Mehr Bearbeitung denn schlichte Übersetzung,
versucht dieser ›Tkadleček‹ (›Weberlein‹), der aus univer-
sitärem Milieu stammen dürfte, seinen Ausgangstext
durch scholastische Aufzählungen und Unterscheidungen
zu übertreffen; gelegentlich bringt er sogar Zitate, die im
›Ackermann‹ verkürzt waren, in vollständigem Wortlaut

und nennt ihren Autor. Zurückgenommen sind dagegen die Grenzüberschreitungen der Gesprächspartner, ausgespart Schlußurteil und -gebet. Die Dynamik der Vorlage verflüchtigt sich – je länger, je mehr – in der numerischen Quantität der vom Unglück herangezogenen Beispiele.

Spätere Aneignungen erfolgten, entsprechend der Überlieferung, durchweg im oberdeutschen Raum. Der berühmte Prediger am Straßburger Münster, Geiler von Kaysersberg, begann 1495 einen Predigtzyklus zum Thema des Todes mit einer aus dem Prosadialog gespeisten Selbstvorstellung des Todes und bemerkte im Rückblick, er habe über die »Dichtung eines Ackermanns« (*dictamen rustici cuiusdam*) gepredigt. Das ›Münchener Eigengerichtsspiel‹ integrierte 1510 die bündigen Todesdefinitionen aus dem 6. und 16. ›Ackermann‹-Kapitel in eine Tod und Seelenheil dramatisierende und zur Buße auffordernde Moralität. Der Augsburger Humanist Menrad Molther überführte 1522 die ersten 26 ›Ackermann‹-Kapitel in ein lebhaftes, mit Klassikerzitaten und Proverbien durchsetztes lateinisch-humanistisches Streitgespräch. Der Burkheimer Stadtschreiber Jörg Wickram nahm 1555 in seinem ›Irr Reitend Pilger‹ die Grundkonstellation des ›Ackermann‹ zum Ausgangspunkt der narrativen Demonstration, wie die Pilgerschaft des menschlichen Lebens zur Selbstbesinnung führe.

Der ›Ackermann‹ war also, bevor er in der zweiten Hälfte des 16. Jahrhunderts wie das allermeiste der älteren Literatur ungelesen in den Bibliotheken verschwand, kein Text wie jeder andere. Er behauptete sich, obschon ohne Autorname überliefert, lange Jahre auf dem literarischen Markt, blieb, in Auszügen und nicht ausdrücklich genannt, auf der Kanzel wie der Bühne präsent, drang sowohl in monastische wie humanistische Kreise ein. Doch die Faszination, die von der nach wie vor singulären Prosa ausging, hinderte nicht ihre schleichende Anpassung ans Geläufige. Zurückgedrängt wurde von den Schreibern und Druckern die stili-

stisch-rhythmische Eigenheit des Textes, vereinheitlicht von
den Lesern und Sammlern das gedanklich Kühne im Dien-
ste der Lebenspragmatik, verharmlost von den Bearbeitern
und Nachfolgern die paradoxe Figur des Todes im Sinne der
traditionellen Aufforderung zum *memento mori*. Auch be-
hielt in den Diskursen der Zeit eine ›pessimistische‹, den
Menschen als Mängel- und Sündenwesen einstufende Anthropologie gegenüber der widerständigen Verlustbewälti-
gung und der sich emanzipierenden innerweltlichen Selbstbehauptung des Ackermanns ihr Gewicht.

Eben diese Selbstbehauptung aber war es, die dem Text in
der Moderne zu neuem Leben verhalf. Die dialektisch in-
szenierte *ars vivendi* der böhmischen Prosa wurde nun zu
einem Muster für die Sinnsuche des modernen Individu-
ums, zu einem existentiellen Modell für die Überwindung
von Verlust und Trauer. Seit den letzten Jahren des Ersten
Weltkriegs war der ›Ackermann‹ in einer kommentierten
Ausgabe und einer wohlfeilen Übersetzung (in der Insel-
Bücherei) verfügbar und erreichte, als Roman auserzählt,
für Bühne und Rundfunk bearbeitet, in Anthologien aufgenommen, ungewöhnliche Breitenwirkung. Wie wenigen
mittelalterlichen Texten wuchs ihm sogar politische Dimension zu: Als ›Ackermann a u s B ö h m e n‹ wurde er zum
Identifikationstext der Sudetendeutschen und diente der
Begründung kultureller Kontinuität aus dem Geist der
Geopolitik. Verallgemeinert zur Widerständigkeit gegenüber zeitbedingten Unbilden wurde seine Modernität zum
Instrument des Antimodernismus – auch dies ein Zeugnis
für die gewaltige, nicht nur literarische Energie, die in dem
kleinen Büchlein steckte und die auch in den Jahrzehnten
nach dem Zweiten Weltkrieg dafür sorgte, daß der Text
durch Übersetzungen, Illustrierungen und Inszenierungen,
Schallplattenaufnahmen und Schuleinführungen populär
blieb. Auch die moderne Forschung hat an dieser Energie
partizipiert: Zahllose Editionen machten den ›Ackermann‹
zum Paradebeispiel textkritischen Bemühens, ausführliche

Stellenkommentare durchleuchteten en détail seine sprachliche Konstitution, literaturwissenschaftliche und histori-
sche Untersuchungen erschlossen seine Strukturen, rekon-
struierten Quellen, Parallelen und Kontexte. Ausgeschöpft
scheint das Sinnpotential des Textes noch keineswegs.

Herzlich danke ich allen, mit denen ich Probleme der Ausgabe be-
sprechen durfte, namentlich Hans Fromm, dessen kritischer Blick
Edition und Übersetzung sehr zugute kam.

Inhalt

Deutsche Literatur des Mittelalters
in zweisprachigen Ausgaben

Konrad von Würzburg: Heinrich von Kempten. Der Welt Lohn. Das Herzmaere. Mhd./Nhd. (H. Rölleke) 167 S. UB 2855

Kudrun. (B. Sowinski) 360 S. UB 466

Mauricius von Craûn. Mhd./Nhd. (D. Klein) 244 S. UB 8796

Neidhart von Reuental: Lieder. Mhd./Nhd. (H. Lomnitzer) 134 S. UB 6927

Das Nibelungenlied. Mhd./Nhd. (S. Grosse) 1019 S. UB 644 (auch geb.)

Oswald von Wolkenstein: Lieder. Mhd./Nhd. (B. Wachinger) 128 S. UB 2839

Otfrid von Weissenburg: Evangelienbuch. Auswahl. Ahd./Nhd. (G. Vollmann-Profe) 272 S. UB 8384

Das Redentiner Osterspiel. Mnd./Nhd. (B. Schottmann) 293 S. UB 9744

Reinmar: Lieder. Mhd./Nhd. (G. Schweikle) 408 S. UB 8318

Das Rolandslied des Pfaffen Konrad. Mhd./Nhd. (D. Kartschoke) 823 S. UB 2745

Der Stricker: Erzählungen, Fabeln, Reden. Mhd./Nhd. (O. Ehrismann) 279 S. UB 8797 – Der Pfaffe Amis. Mhd./Nhd. (M. Schilling) 206 S. UB 658

Tagelieder des deutschen Mittelalters. Mhd./Nhd. (M. Backes / A. Wolf) 308 S. UB 8831

Walther von der Vogelweide: Werke. Mhd./Nhd. Bd. 1: Spruchlyrik. (G. Schweikle) 526 S. UB 819, Bd. 2: Liedlyrik. 832 S. UB 820

Wernher der Gärtner: Helmbrecht. Mhd./Nhd. (F. Tschirch) 216 S. UB 9498

Wittenwiler: Der Ring. Frühnhd./Nhd. (H. Brunner) 696 S. UB 8749

Wolfram von Eschenbach: Parzival. Mhd./Nhd. Bd. 1. (W. Spiewok) 736 S. UB 3681, Bd. 2. 704 S. UB 3682. – Parzival. Eine Auswahl. (W. Schafarschik, W. Mohr) 168 S. UB 18243

Philipp Reclam jun. Stuttgart